제목: 성장하는 채식주의관련 산업분석보고서
부제: 고기 없이 살아가는 사람들과 이들을 위한 시장의 변화가 생기고 있다.

<제목 차례>

01. 서론

I. 서론

요즘 한국에서도 심심치 않게 채식주의자에 관한 이야기들을 들을 수 있으며 몇몇의 식당들은 채식주의자들을 대상으로 한 영업을 하고 있다. 또한 채식주의를 지향하는 연예인들이 증가하면서 우리나라에서도 TV 방송에서 또는 주변 지인들을 통해 채식주의자를 쉽게 접할 수 있게 되었다.

국제채식인연맹(IVU)은 전 세계 채식 인구를 1억8000명으로 추산하고 있다. 이 중 모든 동물성 음식을 먹지 않는 완전 채식주의자인 '비건(vegan)'은 약 30%에 이른다. 비거니즘(veganism)은 비건이 추구하는 하나의 생활 방식으로, 동물로부터 나오는 제품이나 서비스를 일절 거부하는 채식주의 식습관을 일컫는다. 글로벌 시장조사 기관 민텔은 유럽이 현재 '식습관 혁명(diet revolution)'을 겪고 있고 올해의 푸드 트렌드로 '비건과 채식주의자(vegetarian)의 확대'를 꼽았다.[1)]

[2)]

그림 1 채식주의 식단

국내 또한 이런 문화가 확산되고 있는 추세다. 한국채식연합은 국내 채식주의자 규모를 전체 인구의 약 2%, 대략 100만~150만 명 규모로 추산하고 있다. 이 수치에는 비건 채식주의자뿐만 아니라 오보·락토 등 다양한 채식주의자가 포함된다.

한국채식연합에 따르면 한국 채식 인구는 전체의 2%인 약 100만 명이다. 이렇게 채식을 추구하는 사람들이 늘어나면서 주요 소비층으로 부각 되자 '채소(vegetable)'와 '경제(economics)'를 합성해, 채식 관련한 경제활동을 가리키는 '베지노믹스(vegenomics)'란 말도

1) 한국경제메거진, "세계는 채식 열풍 ... '비거니즘'이 이끄는 新소비 문화", 2017.07.05
2) 자료: 구글

생겼다. 채식주의자만을 위한 습관이던 '비거니즘'은 이제 식품을 비롯해 식물성 원료만을 이용한 화장품, 의류 등 산업 전반에 영향을 끼치고 있다.

매년 수천 명이 참가하는 채식 문화 축제, 다양한 채식 동호회, 하루 평균 250여 명이 이용하는 서울대 채식 뷔페 감골식당 등이 국내 비거니즘의 성장을 보여준다. 최근 채소와 경제를 조합한 '베지노믹스(vegenomics)'라는 신조어까지 생겨났다.

이러한 용어에서 볼 수 있듯이 다양한 산업들이 채식주의자를 대상으로 하는 제품들을 출시하고 있다. 화장품 업계에서는 대표적으로는 김정문알로에의 '큐어 마스크팩'이다. 김정문알로에가 출시한 '라센스 로에 큐어 솔루션 알로에 마스크(이하 큐어 마스크팩)'은 일반적으로 쓰이는 알로에 과육 뿐 아니라 잎까지 사용한 것이 특징으로 쿨링과 피부 진정, 보습 기능이 탁월한 제품이다.

외식산업에도 이러한 영향을 받고 있는데, 이태원과 홍대 그리고 서교동, 합정동 등 젊은 사람들이 많이 찾는 장소는 콩고기를 넣은 햄버거, 우유나 계란을 넣지 않은 쿠키 등을 파는 채식 레스토랑이 늘어나고 있다. 계란이나 우유, 버터 등 동물성 재료를 일절 사용하지 않으면서도 기존 빵의 부드럽고 촉촉한 식감을 살린 비건 베이커리를 선보인 식품 업체들도 있다. 이런 제품과 서비스는 채식주의자뿐만 아니라 건강과 환경을 생각하는 사람들도 찾고 있다.

이렇게 비거니즘이 유행을 넘어 하나의 생활방식으로 자리 잡아가면서 동물과 환경보호에 대한 관심이 높아지면서 비거니즘을 실천으로 옮기는 '착한 소비'가 확산되고 있다. 독일의 유명 초콜릿 회사인 리터 스포르트는 작년 9월 버터와 크림 등의 유제품을 일절 제외하고 오로지 식물성 원료로 만든 비건 초콜릿 제품을 출시했다. 완전 채식주의자 비건이 선호하는 100% 식물성 초콜릿임에도 불구하고 50%의 코코아 함량으로 다크 초콜릿 맛을 유지해 비건 소비층에게 큰 관심을 받았다. 국내 식품업계 또한 비거니즘의 확산에 발맞춘 상품들을 내놓고 있다. 온라인 쇼핑몰 11번가가 판매하는 육류 및 생선류 대체 식품 '채식 콩고기'의 2016년 매출은 전년 대비 57% 이상 늘었다.

국내에선 다소 생소하지만 해외시장에서는 큰 인기를 끌고 있는 '농심 순라면' 역시 고기 성분을 사용하지 않은 라면이다. 일반 채식주의자들뿐만 아니라 모든 종류의 동물성 음식을 먹을 수 없는 비건들도 즐길 수 있는 제품이다.

유제품을 먹지 않는 비건들을 겨냥해 등장한 식물성 우유 시장 또한 눈길을 끈다. 그동안 식물성 우유 시장의 주 제품이 두유였다면 최근에는 코코넛·호두 등을 활용한 제품들이 등장해 큰 인기를 끌고 있다. 베지밀로 유명한 두유·음료업체 정식품이 작년 4월 출시한 식물성 음료 '리얼 코코넛 밀크'는 출시 3개월 만에 누적 판매량 100만 개를 기록했다.

비건의 '착한 소비'는 단순히 먹거리에 국한되지 않는다. 글로벌 핸드메이드 화장품 브랜드 '러쉬'는 전 세계적으로 인정받는 자연주의 화장품 회사다. 러쉬가 생산하는 제품의 85%는 비건 제품이다. 친환경적인 천연 원료를 사용해 합성 방부제를 최대한 넣지 않기 위해 노력하며 매년 화장품 동물실험 금지 캠페인을 벌이며 동물실험 반대에 대한 방침을 확고히 하고 있다.

또한 패션업계에서도 채식주의에 바람이 불고 있는데, 일부 명품 브랜드의 경우 오렌지 껍질의 부산물을 사용한 오렌지 파이버를 만들었으며 아나나스 아남은 파인애플 잎에서 추출한 섬유질을 이용한 '피냐텍스(Pinatex)'를 선보여 눈길을 끌었다. 한 이탈리아의 경우는 와인을 만들고 버려지는 포도 껍질과 줄기, 씨를 소재를 한 섬유를 최근 선보이기도 했다.[3)]
이렇게 패션업계에서는 동물성 가죽과 털을 사용하지 않는 '비건 패션'도 등장하면서 세계인 디자이너 스텔라 매카트니는 오래전부터 인조가죽과 합성 스웨이드를 사용해 친환경적인 의류 브랜드를 운영하는 점이 주목을 받았다.

4)

그림 2 피냐텍스 가죽 제품

패키지 디자인 화사인 영국의 'Otarian'은 식료품을 패키징 할 때 안에 담긴 내용물이 가진 지속가능성과 이 음식이 가진 환경 보호적 의미를 담는다. 이로 하여금 이 식료품을 소비하는 소비자들이 자신의 소비가 환경을 더 생각하고 있다는 것을 자각할 수 있고, 다른 많은 물건들 중에서도 이러한 환경 보호를 지향하는 물품을 선택할 수 있도록 유인하고 있다.

이러한 패키지 디자인에서 뿐만 아니라, 메뉴판을 디자인할 때에도 마찬가지이다. 외국에서는 메뉴판에 Veg, Non-veg가 표기되어 있는 것을 쉽게 찾아볼 수 있다. 인구의 70%가 채식을 하는 인도에서는 모든 식당에서 Veg와 Non-veg의 표시가 필수적이고, 미국에서도 Veg와 Non-veg를 포기하여 표시하는 것이 보편화 되어있다. 물론 이렇게 구분하여 표시하는 것은 채식주의자들이 자신들의 신념을 지키는 것을 돕기 위해서이다. 다시 말해, 메뉴판의 구분 표시는 채식주의자들을 위한것이다. 하지만 이러한 표기는 채식을 긍정적으로 고려하고 있는 채식지향 주의자들의 잠재의식을 일깨우는 역할도 하고 있다. [5)] 이러한 다양한 채식주의자를 위한 산업들에 대해서 뒷부분에서 좀 더 자세히 다루어 보고자하 한다.

그렇다면 이러한 채식주의를 하는 이유는 무엇인가? 그 이유는 사람마다 다양하다. 뒷부분에서 좀 더 자세히 살펴보겠지만 간략하게 알아보자. 소화 기관의 기능이 약한 사람이나 알러

---

3) 문화뉴스, 김래현, "라이프스타일을 넘어 트렌드로 자리 잡은 채식", 2018.08.10, 김래현
4) 자료: 구글
5) t!, 김서경, "열성분자가 아닌 그들, ..." 2012.7.29

지, 통풍 등 질병을 앓는 사람들은 어쩔 수 없이 채식을 해야 하며 공장식 축산에 대한 항의나 종교적인 이유로 채식을 선택하는 사람도 있다. 공개적으로 채식주의를 선언한 가수 이효리는 자신의 채식에 대해 “공장식 사육과 곰 발바닥이나 상어 지느러미 등 특정 부위를 위해 동물을 학살하는 것을 반대한다는 의견을 표현한 것”이라고 밝혔다. 배우 김효진은 “2006년 ‘인간의 종말’이라는 책을 보고 채식을 결심했다. 건강에 많은 도움을 주고 있다고 생각한다”라고 이야기 한 바 있다. 페스코 베지테리언인 이하늬는 “단백질 분해 능력이 떨어져 먹지를 못하는 친동생이 고기가 먹고 싶다고 우는 것을 보고 가족이 함께 채식을 결심했다”고 한다.[6]

또한, 동물보호를 위해 앞장서는 사람들의 생활방식으로 여겨졌던 채식은 더 이상 그들만의 생활방식이 아니게 됐다. 환경과 개인의 건강을 위해 채식을 선택하는 경우가 많아지고 있다. 하지만 현재 우리나라에서는 이같이 다양한 채식주의를 모두 포용하기 힘든 실정이다. 서울대학생식당이 식단을 변경해 논란이 됐으나 애초에 전국에서 채식주의 학생식당을 보유한 대학은 세 곳 뿐이다. 또한 국물요리가 많은 한국요리의 특성상 재료를 완전히 파악하기 힘들고 채식주의자들을 위한 별도의 안내를 하는 경우도 많지 않기 때문에 채식주의자들은 어려움을 호소하고 있다.

이에 한국의 일부 채식주의자들은 육안으로 구별 가능한 고기 덩어리만 거부하는 ‘비덩주의’(非 덩어리 주의) 채식을 실천한다. 또, 보다 적극적인 채식주의자들의 경우 온라인커뮤니티를 통해 채식 식당 리스트를 만들어 공유하거나 이 같은 정보를 제공하는 스마트폰 어플리케이션을 활용하기도 한다. 특히 3년째 비건식을 하고 있다는 배우 임수정은 자신의 인스타그램 계정을 통해 채식과 채식주의 식당에 대한 게시물을 지속적으로 게시하고 있다.

위에서 살펴볼 수 있듯이 비거니즘은 라이프 스타일을 넘어 트랜드로 자리잡았다. 트랜드라고 해서 모두가 채식을 실천해야 한다는 것이 아니지만, 채식을 원하는 사람이라면 누구나 채식을 실천할 수 있는 환경과 자유로운 분위기가 형성되어, 마음 편히 외식을 할 수 있게 되는 환경이 갖추어져야 할 것이다.

이 보고서에서는 이러한 채식주의 트렌드에 대해서 알아보며, 앞부분에서는 채식주의에 대한 기원과 의미, 종류에 대해서 살펴볼 것이며 또한 그와 맞는 식단들에 대해서도 알아볼 것이다. 그 이후에는 채식주의를 하는 다양한 이유에 대해서도 알아보며 이와 반대의 의견이 있는 정보에 대해서도 다룰 것이다.

이후는 본격적으로 이러한 채식주의 트렌드에 맞추어서 각 나라가 어떻게 대응하고 있으며 어떠한 방식으로 이끌어가는 지에 대해서 조사하며, 그와 관련된 산업들의 발전 동향에 대해서 살펴보고자 한다.

마지막으로는 채식주의 관련 산업이 성장함에 따라 기존 넓은 땅과 적합한 토양을 갖추어야 시작할 수 있던 농업 산업이 새로운 방식으로 도시에서도 농업을 진행할 수 있게된 도시 농업 관련 산업에 대해 알아보며 이 보고서를 끝내고자 한다.

---

6) 문화뉴스, 김래현, “라이프스타일을 넘어 트렌드로 자리 잡은 채식”, 2018.08.10, 김래현

02. 채식주의

II. 채식주의

11월 1일은 '월드 비건 데이(World Vegan Day)'다. 육류를 먹지 말자는 'Meat Free Day'와 'World Vegetarian Day' 'World Farm Animal Day' 등 유사한 날들이 연중 열흘 남짓 된다. 오늘은 1944년 영국 런던에서 출범한 세계 최초 채식주의자 모임인 '비건 소사이어티 Vegan Society'가 제정한 채식인의 날 중 하나다. 채식주의자들이 서로를 격려하며 정보를 나누고, 채식주의자로서 덜 불편하게 살아갈 수 있는 사회 환경을 함께 모색하고 실천하자는 취지의 날이다. 각자가 채식 레시피로 요리한 음식을 공개된 장소에 가져와 자랑하고, 나눠 먹기도 하고, 비 채식인에게 시식을 권하기도 한다. 비건 공개행사는 그래서 꽤 인기가 높다.[7]

[8]

그림 3 월드비건데이 로고

1. 의미

그렇다면 채식주의에 대한 정의와 그 기원은 무엇인가? 채식주의는 인간이 동물성 음식을 먹는 것을 피하고, 식물성 음식만을 먹는 것을 뜻한다. 동물성 음식은 보통 동물로 만든 음식과, 동물로부터 나온 유제품(우유, 버터, 치즈, 요구르트 등), 동물의 알, 동물 성분을 물에 넣고 끓인 국물과 어류까지도 포함하는 말이지만, 일부 엄격하지 않은 채식의 경우에는 동물의 고기를 제외한 일부의 동물성 음식을 먹는 경우도 있다.[9]

7) 한국일보, 최윤필, "채식주의자의 날" 2016.11.01
8) 자료: 월드비건
9) 자료: 위키피디아

동물보호주의, 생태주의나 반자본주의, 자연보호, 정신 수양 등의 관점에서 채식을 주장하는 서양과는 달리, 한국에서는 주로 건강을 위해 채식을 하는 경우가 많다. 인도 인구의 20-30% 정도가 락토 베지테리언 (동물성 음식 중에서 유제품은 먹는 채식주의자)이다. 이들이 전 세계 채식주의자의 70%를 차지한다. 또한 일본을 비롯한 아시아 여러 나라의 국민들은 서구화 이전에는 육식을 많이 하지 않았다고 한다. 서양에서는 20세기 이후 건강, 윤리, 환경보호 등을 이유로 채식주의자의 비율이 꾸준히 늘어나고 있는 추세다. 미국의 조사에 따르면 1%에서 2.8% 정도의 국민이 육식(닭고기와 물고기 포함)을 하지 않는 것으로 조사됐다.

2. 기원

그렇다면 이러한 채식주의가 어떻게 시작되었는지에 대해서 알아보자. 위키피디아에 따르면 채식주의는 고대 인도와 고대 그리스의 문명에 뿌리를 두고 있다. 사람들의 상당수 사이에서 개념과 실천으로 채식에 대한 최초 기록은 고대 인도 남부 지역과 고대 그리스 문명 이탈리아와 그리스 사이에서 동물에 대한 비폭력의 대한 개념과 밀접하게 관련되어서 발생하였고, 종교 단체와 철학자들에 의해 촉진되었다.

지중해 지방에서는 고기를 먹지 않는 것이 사모스의 피타고라스 (BC 530년경)와 그의 제자들의 가르침으로 처음 기록되고 있다. 수학자이자 초기 동물 권리 운동가인 피타고라스는 엄격한 재식에 충실하면서 모든 살아있는 것들은 영혼을 가지고 있으며 윤리적 선택을 할 수 있다고 믿었다. 피타고라스는 사람을 치료하는 것보다 다른 동물을 다르게 취급하는 것이 잘못이라고 생각하였다. 피타고라스파는 고기 뿐만 아니라 콩과 아욱까지도 먹지 않는 특정 신비교 의식의 금기를 일반화시켰는데, 이는 이집트 사제의 관습이나 비옥한 초승달 지대 (나일 강, 티그리스 강, 페르시아 만을 잇는 반월형의 농업지대)에 살던 개인적 사상가들에게도 영향을 받은 것이다.

피타고라스파는 인간이 모든 동물들과 동족관계에 있다고 주장하면서 다른 생명체에 대한 인간의 박애심을 강조했으며, 다른 동물을 음식물로 하기 위해 죽이는 것을 금지했다. 플라톤 이후 많은 쾌락주의 철학자들 (예를 들면 에피쿠로스·플루타르코스)과 신플라톤주의자들은 금육식을 권장했다.

이런 사상은 예배시에 산 제물을 바치는 것을 비난했고, 간혹 영혼의 윤회 및 보다 일반적으로는 인간이 조화롭게 살 수 있는 우주조화설에 대한 탐구와도 결합되었다. 인도에서는 불교도와 자이나교도들이 인간은 어떤 감각있는 생명체에도 해를 끼쳐서는 안된다는 종교적·금욕적 바탕에서 식량을 위해 동물을 죽이는 것을 거부했다. [10]

인도 아대륙에서는 초기 자이나교와 불교에 영향으로 동물에 향한 비폭력의 원칙이 기원전 6세기 초, 두 종교 모두에서 확립된 규칙으로 작용하였다. 자이나교의 개념은 특히 엄격하였는데, 동물을 죽이거나 상처 입히기를 금지하였으며, 고기 섭취도 금하였다. 이와는 다르게 불교에서는 그 동물이 특별히 그들을 위해 도살되었다고 의심 할 이유가 없다면, 주인이나 자선

---

10) 한국채식연합, “채식의 정의/어원/종류/역사”, 2015.07.05, 한채연

기부자가 제공 한 고기를 먹어도 된다고 하였다.

이에 대표적인 인물로 불교 황제라고 불리는 아쇼카 (304-232 BCE)은 채식주의를 지향하였으며, 그는 많은 종의 보호를 위해 상세한 법률을 제정하고 그의 법에서는 동물을 희생하는 것을 폐지하고 모든 종류의 불필요한 살해와 상해를 피하기 위한 것이 명시되었다.
이런 생각은 곧 브라만 사회에서도 수용되었고, 특히 소에게 적용되었다. 지중해 지역의 사상과 마찬가지로 산 제물을 바치는 것을 비난하면서 때로 우주조화론과 결합되었다.

후에 채식주의는 인도와 지중해 지역에서 다른 국면을 맞게 되었다. 인도에서는 불교가 점차 쇠퇴했으나, 불살생 사상 (ahimsa)이 금육식에 대한 자연스런 결과를 수반하며, AD 1000년까지 많은 상류계급 (특히 비슈누파교도)과 일부 하류계급에게 지속적으로 전파되었다.

불교가 시작된 인도와 달리, 중국·한국·일본처럼 불교가 전파된 북동부지역에서는 동물을 살생하지 말아야 한다는 생각이 덜 엄격했고, 고기가 공급되면 먹기도 했다. 몇몇 국가에서는 생선이 금육식의 대상에서 예외가 되었다.

인더스 강 서쪽에서 세력을 떨친 일신교 전통은 채식주의에 대해 덜 호의적이었다. 그러나 성서에는 낙원의 최초 인간들은 고기를 먹지 않았다는 기록이 있다. 육식은 노아의 대홍수 후에 허용되었는데, 그때도 동물의 피는 생명으로 간주되어 먹지 않았다.

유대 금욕주의자들과 몇몇 초기 그리스도교 지도자들은 육식을 안락·탐욕·잔인·사치로 여겨 인정하지 않았다. 여러 그리스도교 수도원의 규칙은 육식을 허용하지 않았고, 이를 어긴 일반신자는 고백성사를 해야만 했다.

많은 이슬람교도가 채식주의에 대해 적대적이었으나 후에 이슬람 영적 생활의 주요 안내자가 된 이슬람 수피교 신비론자는 영적 구도자들에게 금육식을 권장했다. 16세기에 인도를 다스렸던 무굴 제국의 악바르 황제는 수피교 관습에 따라 금육식을 권장했다.

중국의 경우 중국 불교와 도교의 종교는 스님들과 수녀들에게 달걀이 없고 양파가 없는 채식을 먹도록 요구하였다. 대수도 원장은 일반적으로 자급자족하였기 때문에 실제로는 완전 채식을 하였다. 이러한 종교들은 뿌리 채소를 먹는 것을 피함으로써 식물의 생명을 해치는 것을 줄이려고 하였으며 이는 금욕적인 관습으로 볼 수도 있지만, 중국에서 일반적으로 동물이 불멸의 영혼을 가지고 있다고 믿고 있었기 때문에 곡식을 먹는 것이 그들의 종교에 좀 더 적합하였다.

이에 대한 대표적인 예시로 과거 중국 민속 종교에서는 사람들은 새해 첫날뿐만 아니라 그 달 1일과 15일에 완전한 채식을 자주 먹었다. 일부 비 종교인도 이것을 할 정도로 이것은 금요일에 고기를 먹지 않고 빌려주는 기독교적인 관행과도 비슷하다. 순수 채식주의자인 사람들의 비율은 현대 영어권 나라들과 거의 동일하지만, 이 비율은 오랜 기간 동안 실제로 변하지 않았다. 많은 사람들이 자신이 죄를 지었다는 믿음을 보충하기 위해 채식을 일정량 섭취하는 경향이 있다.

이에 따라 고기 대안으로 해조류로 만들거나 고구마 전분으로 만든 음식이 발전되었으며, 두부 또한 중국에서 처음 만들어졌다. 또한 중국에서는 해산물에서 부터 계란이 없는 채식주의자 식단이 발전하였다.

일본에서도 채식주의는 오래전부터 시작된 것을 확인할 수 있다. 일본은 675년 불교의 영향으로 가축의 사용과 텐무 천황에 의해 일본에서 야생 동물의 소비가 금지되었다. 그 후 나라 시대 737년 세이 무 황제는 어패류를 먹는 것을 승인했다. 19세기 후반의 나라 시대부터 메이지 유신에 이르기까지 1200년 동안 일본인들은 채식 스타일의 식사를 즐겼다. 그들은 보통 Tif을 주식, 콩, 야채로 먹었다. 특별 행사나 축하 행사에만 물고기가 제공되었다. 하지만 이후 메이지 유신과 서양의 영향으로 메이지 천황은 붉은 고기에 대한 금지 조치를 철회했다.

근대에 들어 서유럽 및 세계의 생활상이 변하면서 채식주의도 새로운 국면에 접어들었다. 18세기 유럽에 퍼진 인도주의의 일부로서, 도덕적 진보의 확신과 더불어 동물 수난에 대해 민감하게 받아들였고, 피타고라스파의 육식반대가 제기되었다. 특정 개신교 집단은 성서에 대한 완전론적 봉독의 방편으로 금육을 했다. 다양한 철학관을 지닌 사람들이 채식주의를 옹호하여, 예를 들면 볼테르는 금육식을 찬양했고, 셸리와 소로가 이를 실행했다.

19세기 초반의 채식주의자들은 대개 고기는 물론 술의 섭취도 비난했고, 그들이 윤리적 민감성에 호소한 것과 마찬가지로 당시의 풍부하고 양이 많은 육식과 대비되는 소식의 영양학적 장점에 대해 많은 호소를 했다. 어떤 사람은 조리하지 않고 먹을 수 있다는 점을 지지했다. 보통 채식주의는 인간과 생명의 우주적인 조화에 대한 여타의 노력들과 결합되었다.

“채식주의자” 라는 용어는 1800 년대 중반에 영국 채식 협회에 의해 만들어졌는데, 채식주의 (vegetarianism)라는 용어는 '채식 (vegetable food)'이 아닌 '활동적인, 생기있는'의 의미인 라틴어 vegetus에서 유래했다.

계몽의 시대와 19세기 초 영국의 채식은 자신의 원칙을 실제로 구현 한다는데 있어서 많은 대중들의 관심을 받았다. 영국에서는 주로 채식주의는 북부와 중부 지역 특히 도시화 된 지역이서 많이 발생하였는데, 전국적으로 채식주의가 확산됨에 따라, 더 많은 노동 계급 채식주의자가 되었다.

19세기에 채식주의 운동은 비채식주의자 사이에서도 성과를 낳기 시작했다. 20세기초 영어권 국가에서는 이것이 비채식주의자들의 식사를 다양화하고 계몽하는데 결정적인 공헌을 했으며, 땅콩 버터와 콘플레이크 같은 음식이 미국의 채식주의자에 의해 만들어졌다. 어떤 지역에서는 채식이 단순히 특정 질병을 치료하는 많은 섭생 중 하나로 간주되었다. 독일 같은 지역에서는 금육식이 채식주의의 한 가지 요소인 단순성과 건강을 지향하는 생활습관의 광범위한 개혁으로 여겨졌다.

전반적인 채식주의 운동은 근대의 레오 톨스토이 및 조지 버나드 쇼 같은 윤리적 성향을 지닌 사람들과 제7안식일예수재림교와 신지론자 같은 특정 종파에 의해 진척되었다. 이들 채식주의자의 목소리를 대변하는 특수기관도 설립되었다.

영국과 미국 (필라델피아)의 바이블 크리스천파는 전국채식주의자협회의들을 설립하는데 앞장섰으며, 이러한 협회들에서는 잡지도 발간했다. 최초의 채식주의자협회는 1847년 영국에서 발족되었다.

채식주의자협회는 1847년 영국에서 발족했다. 채식주의자협회의 세계연합조직은 1889년 임시적으로 설립되었고 1908년 국제채식주의자협회로 영구조직이 되었다. 후에 인도의 전통과 불교 신앙을 지닌 채식주의자들이 서양인으로 구성된 이 협회에 가입했다.

특정 유럽 국가에서 채식주의자만이 이용할 수 있는 식당·학교·휴양소가 생겼으며, 인도의 철도회사에서는 채식주의자와 비채식주의자를 위한 이중 식당설비를 개발했다. 서양의 특수산업은 육식에 길들여진 사람이 채식으로 쉽게 전환할 수 있도록 하기 위해 형태와 맛이 육류와 비슷한 고단백 채소음식을 가공하고 있으며, 건강식품 상점에서는 채식주의자 취향에 맞는 제품을 판매하고 있다.

같은 목적으로 채식주의자협회에서는 단백질의 중요성을 인식하여 콩류·견과류·치즈·달걀 등을 이용하는 요리책을 펴내고 있다. 국제채식주의자협회의 과학위원회는 과학잡지에서 논문을 발췌하여, 채식주의자의 윤리적 기준에 더욱 부합할 수 있는 음식과 약품을 개발하고 있다.

우리나라도 과거 오래전 부터 이러한 채식주의 문화가 존재하였는데, 다양한 문헌을 통해 역사적 인물들이 채식활동을 한 것을 확인할 수 있다. 고려 후기 명문장가로 당대를 풍미한 시풍을 지은 이규보(1168~1241).

[11]

그림 4 김홍도 '점심'

11) 자료: 불교신문

그가 저술한 시문집 <동국이상국집>속 '가포육영(家圃六詠)'에는 생활 속 채식을 하고 있는 이규보의 모습이 들어있다. 가포육영은 오이, 가지, 순무, 파, 아욱, 호박의 여섯 가지 채소재배에 대한 기록을 시로 남긴 것이다. 가포육영에는 여러 채소에 대한 사용법을 소개했는데 이를 통해 고려시대 사람들이 어떤 식습관을 지녔는지 알 수 있다. 또한 고려왕조의 마지막을 함께 한 학자이자 정치가인 목은 이색(1328~1396)도 채식을 즐겨먹었다. 특히 '대사구두부래향(大舍求豆腐來餉)'이라는 시를 통해 '두부'를 즐겨먹었다는 사실을 엿볼 수 있다.

조선 중기 사회와 정치를 주도한 사림이자 우리에게는 오천원 지폐에 초상화로 친숙한 율곡 이이(1536~1584)도 채식을 즐겨했다. 직접 나물을 캐러 산이나 들에 다니기를 좋아했다는 이이는 제자들에게 "생강처럼 매서운 개성을 지니고 생강처럼 간을 맞추며 살아야 한다"고 가르쳤다 전해진다. 평생 쇠고기를 입에 대지 않았다는 점도 주목할 만 하다.

<홍길동전>으로 잘 알려져 있는 허균(1569~1618)은 조선시대 미식가이자 탐식가였다고 한다. 허균은 우리나라 팔도의 명물 토산품과 별미음식을 소개한 〈도문대작〉이라는 책에서 채소에 관한 내용을 자주 언급하는데 그중 강릉에서 자라는 여러해살이풀로 쑨 방풍죽이야기가 눈길을 끈다. 실학을 집대성한 정약용(1762~1836)도 마찬가지로 채식 애호가였다. 그가 찬술한 <한암자숙도>에서 나오는 '상아(뽕나무버섯)와 숙유(두부)를 먹으니 포새(우바새)의 풍치가 바로 이 사이에 있구나' 대목을 통해 채식을 예찬하는 정약용의 모습을 엿볼 수 있다. 또한 좋아하는 일을 채소밭 가꾸기라고 말할 만큼 채식에 대한 애정이 가득했다.

'추사체'라는 고유명사로 불리는 최고의 글씨와 함께 그림과 시, 산문에 이르기까지 다재다능했던 추사 김정희(1786~1856)도 '세모승(細毛僧)'이라는 시에서 우뭇가사리를 예찬하기도 했다.[12)]

본격적인 채식주의 운동은 20세기 말 부터 시작된다. 한국의 채식을 목적으로 한 모임은 1998년 11월 하이텔의 정신과학동호회 내에 만들어졌던 채식소모임이 시초이다. 처음 소모임을 제안하였던 이광조, 김승권, 배복기, 정인봉 등을 주축으로 하여 이후 1999년에 하이텔 채식동호회로 성장하였고, 같은해 5월에는 종로1가에서 처음 채식캠페인이 있었다. 이때 채식소책자 "자유를 위한 채식"과 팜플렛 등이 무료로 배포되었다. 이후 마로니에 공원에서 채식캠페인이 있었다.

2000년에는 인터넷 상에서 처음으로 지역별 대표의 협의체 형식인 푸른생명한국채식연합이 만들어졌다. 그리고 송숙자박사 등과 협력하여 삼육대학교에서 채식강연회와 채식시식회가 있었으며, 10월1일에는 100여명이 참여한 세계 채식인의 날 캠페인이 마로니에 공원에서 있었다. 이때 재림교, 명상단체, 동물보호단체, 채식단체 등 주축이 되어 협력하여 캠페인과 채식시식회 등이 진행되었다. 채식과 관련된 야외무대에서, 그리고 채식무료시식회를 통해 수백명이 채식요리에 대한 정보를 얻을 수 있었다. 그리고 대학로에서 명동성당까지 채식의 유익을 알리는 가두행진이 있었다. 지속적인 채식캠페인과 함께 신문, 방송, 월간지, 주간지 등 언론에서 채식동호회의 소개와 함께 채식에 대한 정보가 대중에게 제공되었다.

---

12) 불교신문, 이성진, " 이규보부터 정약용까지…역사속 채식주의자" 2017.11.11

2002년에는 인사동에서 48페이지의 칼라 채식안내책자가 1만부 제작되어 무료배포되었으며 100분 토론 102회는 "채식이냐 육식이냐"가 방송되기에 이르렀다. 육식측 패널은 김숙희 전 보건복지부장관, 김창규 의사였고 채식측 패널은 이광조 푸른생명한국채식연합 대표와 유제명 한국생명운동본부 대표였다. 초창기 푸른생명한국채식연합의 회원들은 당시 성장 중이던 인터넷 포탈사이트들에 각기 카페를 만들기 시작하였다. 대표적인 것이 다음(daum) 채식나라의 이원복, 네이버(naver) 한울벗 채식동호회의 김승권 등이었다.13)

3. 종류

채식주의 자에도 다양한 범위가 존재하며, 이는 얼마만큼 또는 어느정도 만큼 채식주의를 실행하느냐에 따라 나뉜다. 크게는 5가지로 나뉠 수 있지만 좀 더 자세히는 세미 베지테리언을 3가지로 구체화 시킬 수 있다.

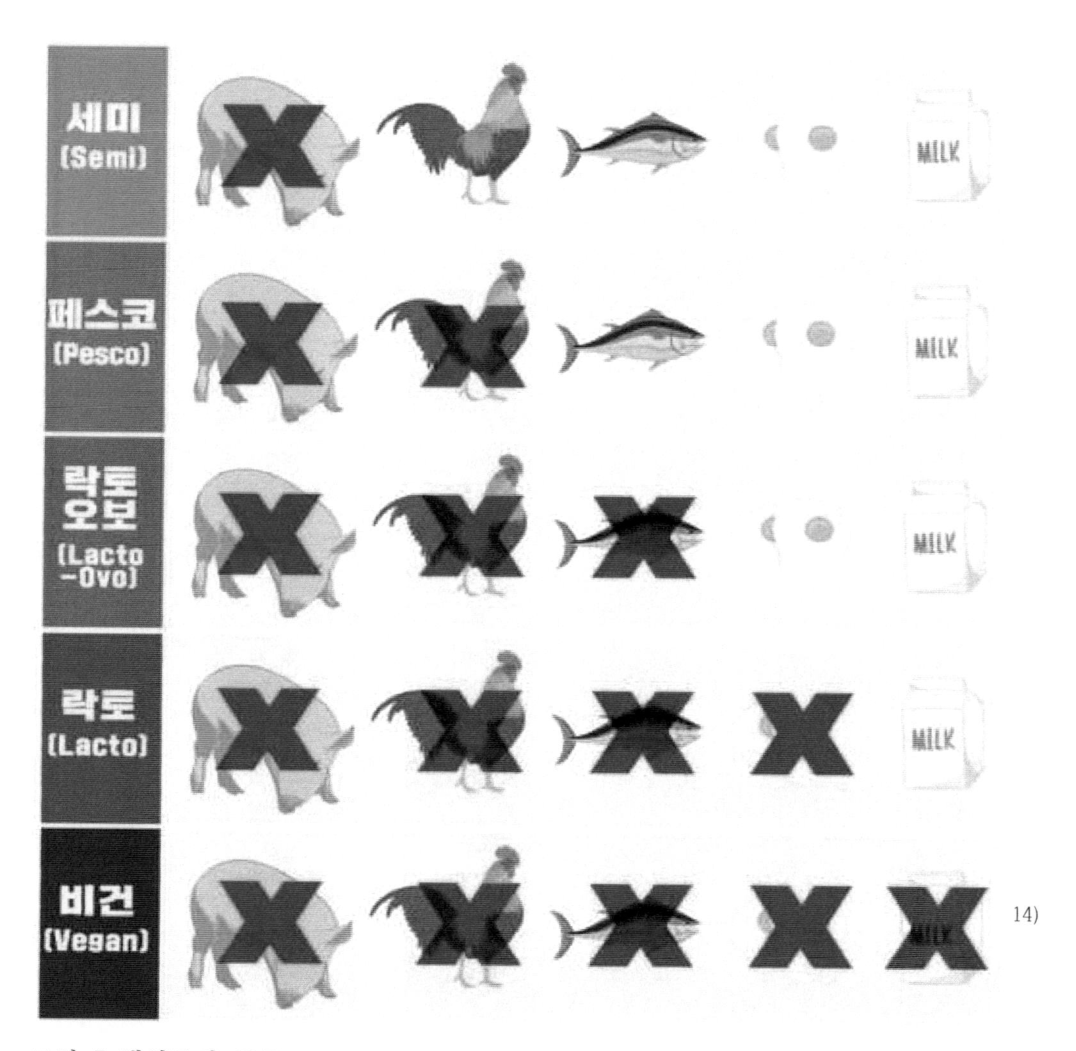

14)

그림 5 채식주의 종류

13) 자료: 위키피디아
14) 자료: HUFFPOST

그럼 좀 더 세분화 시켜 7가지 채식주의자 유형에 대해서 알아보고 그 기대 효과에 대해서 살펴보자.

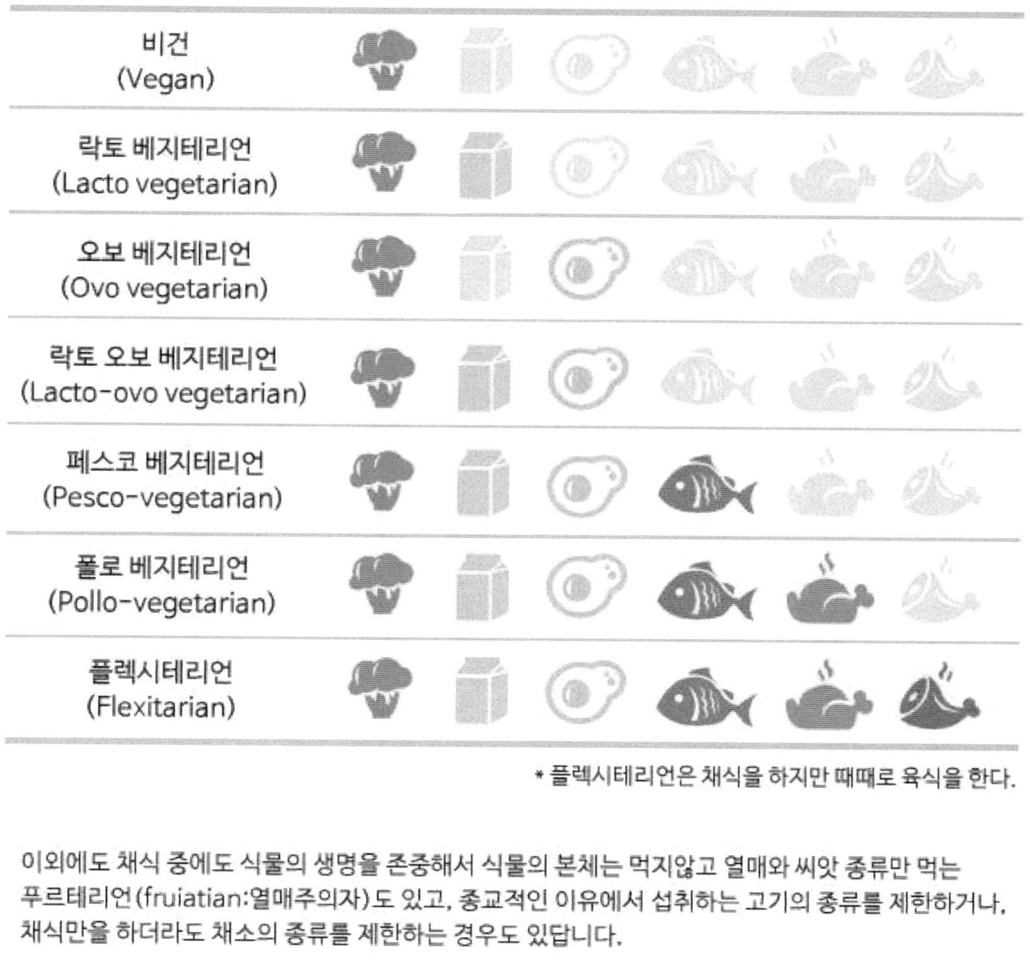

비건
(Vegan)

락토 베지테리언
(Lacto vegetarian)

오보 베지테리언
(Ovo vegetarian)

락토 오보 베지테리언
(Lacto-ovo vegetarian)

페스코 베지테리언
(Pesco-vegetarian)

폴로 베지테리언
(Pollo-vegetarian)

플렉시테리언
(Flexitarian)

* 플렉시테리언은 채식을 하지만 때때로 육식을 한다.

이외에도 채식 중에도 식물의 생명을 존중해서 식물의 본체는 먹지않고 열매와 씨앗 종류만 먹는 푸르테리언(fruiatian:열매주의자)도 있고, 종교적인 이유에서 섭취하는 고기의 종류를 제한하거나, 채식만을 하더라도 채소의 종류를 제한하는 경우도 있답니다.

그림 6 채식주의자 7가지 종류
15)

1) 비건 (The Vegan)16)

유제품과 동물의 알을 포함한 모든 종류의 동물성 음식을 먹지 않는 경우, 일부는 꿀도 먹지 않는 경우가 있다. 짐승의 가죽으로 만든 옷이나 화장품류처럼 동물을 이용해 만들어진 모든 상품을 가죽을 얻기 위해 짐승을 학대하는 생명의 존엄성 침해에 반대하여 사용하지 않는 사람도 넓은 의미에서 비건이라고 부른다.

이러한 채식주의를 할 경우, 연구에 따르면 한 사람이 비건 채식을 할 경우 1년에 200마리의 동물을 구할 수 있다고 한다. 또한 일반적으로 비건 채식주의자들은 동물성 식사를

15) 자료: 네이버 블로그
16) Ann Story, BULL, 채식주의자 종류 7가지와 건강....", 2017.10.25

하는 사람들에 비해 건강하다고 하는데, 실제로 비건 채식주의자들이 암 또는 심부전 등의 질환으로 사망할 확률이 낮다고 한다. 또한 비건 채식을 통해 동물성 식품을 가공하기 위해 발생하는 오염, 토지 황폐화를 줄이고 물 낭비를 줄일 수 있으니, 비건 채식을 통해 환경 보호에도 일조할 수 있다.

[17]

그림 7 비건 식재료

2) 락토 베지테리언 (The Lacto Vegetarian)

[18]

그림 8 락토 베지테리언 식재료

락토 베지테리언은 육류, 생선, 가금류, 동물의 알은 먹지 않지만, 유제품의 섭취는 허

17) 자료: 구글
18) 자료: ANN STROY

용하는 채식주의자이다. 다른 동물성 식품의 섭취는 금하지만 치즈, 요거트, 우유 등 동물의 젖을 가공하여 나온 음식들은 먹을 수 있는 것이다. 인도와 지중해 연안의 나라에서 많이 이루어지고 있다.

이러한 락토 베지테리언으로 살 경우, 락토 베지테리언은 육류를 섭취하지 않기 때문에 저혈압 등의 질환의 발병률이 낮다. 하지만 동물성 유제품을 통해 콜레스테롤을 섭취하기 때문에 이로 인한 건강 문제가 생길 가능성 있다.

3) 오보 베지테리언 (The Ovo Vegetarian)

오보 베지테리언은 육류, 생선, 가금류, 유제품을 거부하지만, 동물의 알은 먹는 채식주의자를 의미한다. 보통 계란을 섭취하지만, 그 외 다른 동물의 알도 섭취할 수 있다. 이러한 형태의 채식주의인 오보 베지테리안은 락토 베지테리안과 비슷하게 계란의 형태로 동물성 콜레스테롤을 섭취한다. 하지만 그 외의 육식을 금하고 있기 때문에 건강을 지키는 것은 물론 수많은 동물들을 살릴 수 있으며 환경 보호에도 기여할 수 있다.

[19]

그림 9 오보 베지테리언 식재료

4) 락토-오보 베지테리언 (Lacto-ovo Vegetarian)

락토-오보 채식주의는 가장 대중적인 채식주의로, 육류, 생선, 가금류 등은 먹지 않지만 동물의 알과 유제품을 허용하는 채식주의이다. 락토-오보 베지테리언은 동물의 알, 유제품을 모두 섭취하기 때문에 락토 베지테리언이나 오보 베지테리언보다는 현저히 높은 콜레스테롤 수치를 가질 수 있지만 여전히 고기의 섭취를 금하고 있기 때문에 건강에도, 동물과 환경의 보호에 긍정적이 영향을 끼친다.

19) 자료: ANN STORY

20)

그림 10 락토 베지터리언 식재료

5) 폴로 (The Pollotarian)

폴로 채식주의는 우유, 달걀, 생선, 닭고기까지 먹는 채식주의자. 붉은 살코기는 먹지 않는다. 즉, 가금류를 제외한 다른 모든 종류의 육류를 금하는 채식주의이다. 하지만 폴로 채식주의에서는 다른 채식주의와는 달리 닭이나 오리고기 등 어느 정도 육류를 섭취할 수 있기 때문에 대부분의 사람들은 이들을 채식주의로 인정하지 않는다고 한다.

21)

그림 11 폴로 베지테리언 식재료

가금류가 붉은 고기보다 심장에 미치는 영향이 적기 때문에, 붉은 고기를 금하고 가금류만을 섭취하는 폴로 채식주의자들은 붉은 고기를 섭취하는 사람들보다 심장질환의 위험이 낮다. 폴로 채식주의에 의해 소, 돼지 등의 도축은 감소하지만 그만큼 많은 조류가 더 희생되기 때문에, 동물 보호의 효과는 거의 없다고 보인다.

20) 자료: 네이버
21) 자료: Femme Today

6) 페스코 (The Pescatarian or Pescetarian)

페스코 채식주의는 육식을 하지 않지만 해산물과 생선은 허용하는 채식주의이다. 폴로 채식주의와 마찬가지로 페스코 역시 완전한 의미의 채식주의가 아니라는 비판이 있다. 육류 대신 해산물 및 생선의 섭취를 통해 육류 섭취에서 오는 많은 질병을 예방할 수 있지만, 많은 종류의 해산물들이 수은 등의 중금속 및 오염물질에 노출되어 있기 때문에 페스코 채식주의는 또 다른 건강 문제를 야기할 수 있다는 한계점을 지닌다.

[22]

그림 12 페스코 베지테리언 식재료

7) 플렉시테리언 (The Flexitarian)

플렉시테리언은 가장 최근에 등장한 개념으로, 기본적으로 채식을 하나 경우에 따라 육류의 섭취를 허용하는 유연한 채식주의자를 의미한다. 플렉시테리언이 육식을 어느 정도 할 지는 개인의 선택에 달려있으며, 이들은 보통 평소에는 채식을 하나 회식, 모임 등의 특별한 상황에서만 육식을 허용합니다. 일부는 공장식 농장에서 생산되는 고기를 거부하고 자연 상태에서 자란 동물 고기만을 먹는 경우도 있다.

비건 채식주의자들이 가장 큰 건강 증진 효과를 얻겠지만, 최근 연구에 따르면 일주일에 단 하루 육류의 섭취를 제한하는 것만으로도 개인의 건강에 좋은 영향을 미칠 수 있다고 한다.[23]

---

22) 자료: Ann Stroy

23) Ann Story, BULL, 채식주의자 종류 7가지와 건강....“, 2017.10.25

4. 이유[24]

위에서 알아본 것과 같이 다양한 종류의 채식주의가 있듯이 이러한 채식주의를 하는 이유도 다양하다. 위키피디아에 따르면 이러한 여러 가지 동기를 크게 6가지로 나누어 놓았다.

1) 윤리적 동기

채식주의를 시작하는 윤리적인 동기는 동물권에 대한 존중에서부터 시작한다. 서양 계몽주의에서는 인간만이 이성을 가지고 있으므로 천부인권을 가진다고 가정했다. 그러나 일부 동물들도 초보적인 수학이나 언어, 논리를 이해한다는 증거가 있으며, 진화심리학이나 생존원칙에서 벗어나는 이타적인 행동이 관찰되기도 한다. 계몽주의에 의해 동물 역시 이성을 가지고 있다면 천부권을 가지지 못할 이유가 없다라고 주장되었다. 이로 인해 동물의 권리가 존중되기 시작하였다.

따라서 현대에 들어서 천부인권은 묻지도 않고 따지지도 않고 조건 없이 인간으로서 부여되는 권리라고 가정된다. 이와 마찬가지로 동물권 또한 이러한 물음에서 출발한다. '인권이 조건 없이 주어진다면 동물권 역시 조건 없이 주어져야 하지 않는가?' 이러한 물음은 채식주의 자들에게 그에 대한 명분을 강화해주었다.

이와는 다르게 식물권에 대한 논의는 복잡하다. 계몽주의적 천부권이 온전히 받아들여질 수 없다고 하더라도, 이성과 천부권의 관계가 현대에도 다소 남아있음을 부정할 수는 없다. 이러한 계몽주의의 흔적은 특히 법철학에서 찾아볼 수 있다. 식물의 생태는 인간을 포함한 동물의 그것과 판이하며, 이성의 편린이 보이지 않는다. 식물의 생명권이나 종족보존권이 보장되어야 함은 분명하지만, 식물에게도 천부권이 있는지는 어떤 윤리학자라도 명백히 대답할 수 없을 것이다. 또한 식물 섭취는 인간 생존의 최소 조건이다라는 주장을 찾아볼 수 있다. 그러므로 체가 불명확한 식물권에 대한 논의는 유보하고, 동물권에 대한 의사 표명으로서 채식주의를 추구한다는 것이 소위 '윤리적인 채식주의' 측의 주장이다.

하위 논의로 '비윤리적으로 사육되는 산업 사회의 동물들의 권리를 보호하기 위해' 채식을 해야 한다는 입장이 있다. 이 입장을 가진 이들은 동물들의 권리를 매우 중요하게 여기며, 고통을 가능한 한 줄이는 삶이 윤리적이라고 강조한다. 다만 그 처우에 대한 논쟁은 활발하다.

2) 환경적-인도적 동기

소 한 마리를 기르기 위해선 300여 헥타르의 초목이 필요하다. 이 초목을 위해선 숲을 파괴해야 하고, 이로 인해 숲의 수많은 동식물들이 죽어나가고 이산화탄소 배출량은 더더욱 높아져간다. 그 외에도 소가 배출하는 트림과 방귀에는 메탄이 함유되어 있는데 메탄의 온실효과는 이산화탄소보다 높다고 한다. 쇠고기를 얻기 위해 키워지는 소들에서 나오는 메탄이 지구

24) 자료: 위키피디아

온난화 원인의 2위이다. 실제로 전 지구적 탄소배출을 줄이기 위해 가장 효과적인 방법은 채식이라는 주장이 있다. 식량기구(FAQ)는 2006년 이미 연간 CO2 배출량의 18%가 가축으로부터 발생한다고 발표하였으며, 이 수치는 전 세계 모든 자동차의 CO2 배출량을 합친 것 보다 많다.

이뿐만 아니라 가축산업은 자원고갈을 가속화 하고 있는데. 가축산업에 필요한 물, 곡식. 그리고 가축 등에 필요한 자원이 많이 소모된다. 게다가 산림 훼손을 초래하는 큰 요인 중 하나가 가축사료 생산에 의한 농지 개발이라는 점도 고기를 소비하는 것에 대한 부정적이 면을 보여준다.

예를 들어 브라질의 경우 5.6백만 에이커의 농지가 유럽 가축 사료 재료생산을 위한 농지로 사용되고 있으며, 다른 나라 가축을 위해 농지를 사용하기 때문에 굶주린 사람들이 먹을 식량이 그만큼 줄어들게 된다. 반면 비건 라이프스타일 유지를 위해 필요한 자원은 육식에 비해 매우 적다. 게다가, 굶주리고 있는 사람들을 먹일 수 있는 곡식을 가축들에게 주고 있다는 점 또한 인도적으로 옳지 못하다는 주장이 많다. 25)

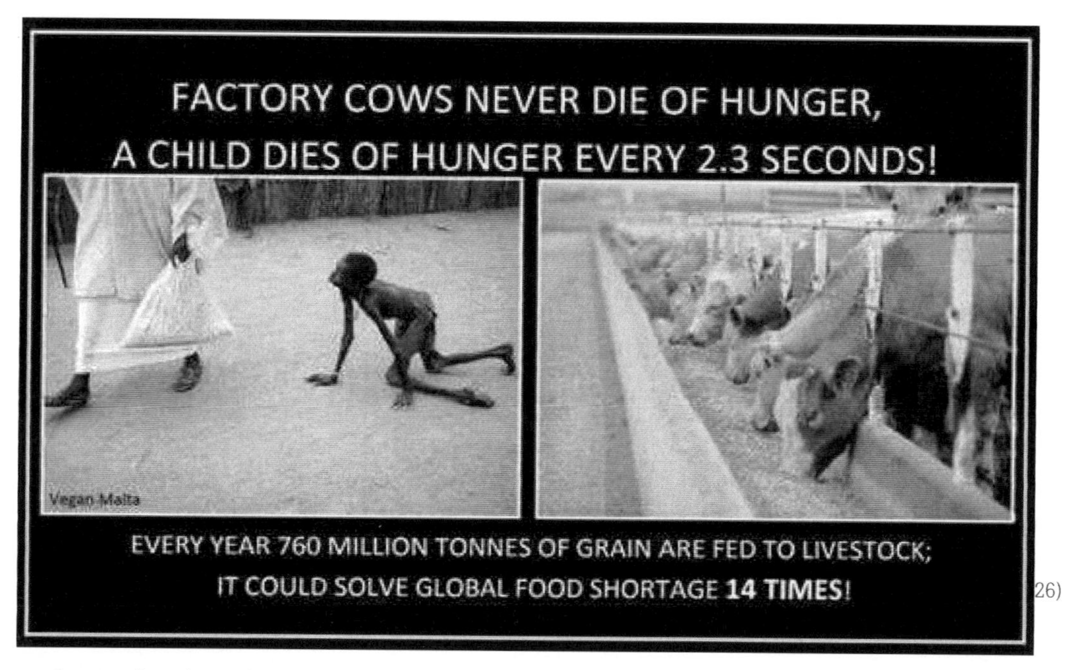

26)

그림 13 인도적 동기

또한 에너지 효율의 측면에서도 매우 나쁘다. 1차로 생산된 에너지인 곡물을 먹고 키우는 소와 돼지의 에너지가 곡물이 가진 에너지보다 훨씬 적기 때문이다. 본래 전통 축산업은 사람이 못 먹는 풀이나 건초를 활용하는 것이라 효율이 문제가 아니었으나 현대의 대규모 축산업은 사람이 먹는 곡물로 소를 키운다. 기업형 축산에서 사료가 단백질로 전환되는 비율을 따지면 쇠고기는 4.6%, 돼지고기는 12%대, 닭고기는 17% 정도 된다. 즉 사료(대부분이 옥수수를 기

25) Abow the law, "채식을 해야 하는 이유", 2016.09.29
26) 자료: ebs

반으로 만들어진다)를 100kg 소모해야 4~17kg의 단백질을 얻을 수 있는 것이다. 반면에 계란이나 유제품은 단백질 전환 수치가 꽤 높다.

3) 종교적인 동기

채식주의를 시행하는 데는 종교적인 원인도 작용한다. 인류에게 여러 종류의 종교가 있듯이, 종교적인 동기로 하는 채식주의도 여러 종류가 있다. 살생을 금하는 교리에서 출발하는 경우가 많다. 모든 종파가 해당되는 건 아니지만, 도교·힌두교·자이나교 등이 이에 해당한다. 유대교, 이슬람도 돼지고기는 먹지 않는다. 일부 기독교에서는 에덴 동산에서 살았을 때는 과일과 채소만 먹었을 뿐 육식은 하지 않았다며 채식을 해야 에덴 동산에 있었을 때처럼 건강하고 오래 살 수 있다고 주장한다. 또한 인간은 불을 사용한 이후 수명이 줄었다면서 날 채소를 먹을 것 역시 권유한다. 물론 그 근거는 성경이라지만 성경 기록대로 따르자면 인간이 육식을 하기 시작한 때는 대홍수 이후이다. 기독교의 한 교파인 제칠일안식일예수재림교회도 성경의 여러 구절을 통해 육식이 아닌 채식이 올바르다고 주장한다.

서양식 채식주의가 덜 전파된 한국에서는 불교의 식사법이 채식주의로 가장 많이 알려져 있다. 사찰 음식이라고 해서 절에서 해먹는 나물 등의 요리법이 채식 요리로 각광받기도 한다. 사찰 음식 전문가로 유명한 승려들도 있고, 사찰 음식을 파는 식당도 있다. 한국 최대의 채식주의자 계층이 불교 승려이기도 하다. 유대교나 이슬람에서는 음식에 대한 계율이 매우 까다롭고 특히 돼지고기를 금지하는 조항 때문에 돼지고기가 보편적인 한국이나 중국 등 외국에서는 어쩔 수 없이 한정적인 채식주의자가 되는 경우가 있다. 비단 고기 뿐만이 아니라 각종 식품에 첨가되는 동물성 지방, 색소 등등에 이들이 금지하는 동물의 성분이 들어갈 수 있는 음식은 먹지 않게 된다.

도교에서는 삼염(三厭)이라 하여 기러기고기, 개고기, 장어류의 어류(뱀장어, 갯장어 등)는 금기시한다. 이유는 기러기는 부부간의 금실을 지켜주는 동물이고, 개는 인간 대신 집과 재물을 지켜주는 의리가 있는 동물이며, 장어는 충성과 공경의 도를 지키는 동물로 보았기 때문이다. 하지만 시대나 교파마다 약간의 차이가 있어서 기러기 고기가 닭고기로 대체되거나, 12세기 등장한 도교의 권선서적인 공과격(功過格)에서는 1년간 개고기와 소고기를 먹지 않을 것을 권하고 있다. 하지만 닭의 경우 도교에서 신의 생일날 제물로 바치는 용도로 쓰는 고기인 삼생(三牲, 돼지고기, 생선, 닭) 중 하나라서 완전히 금지된다고 보기에는 애매하다.

불교의 경우 한국에서는 채식주의의 대표주자로 알려져 있고 교조적인 채식주의자들 중에 불교를 들먹이는 자들이 있지만, 정작 석가모니 본인은 육식을 절대적으로 엄금하자는 데바닷타의 의견에 반대했으며, 초기불교 율장인 빠알리 율장(위나야삐따까(Vinayapiṭaka)) 중에는 '초목을 해치지 말라'는 괴생종계(壞生種戒)의 계율이 존재한다. 대승불교 문화권 중 중국/한국/베트남 쪽은 승려의 경우 육식을 원칙적으로는 금하지만, 상황에 따라서는 일부 묵인한다. 일본은 종파마다 다른데 대체로 대형사찰에 모여서 수행하는 동안에는 채식을 하지만, 그 기간 외에 개인 사찰에서 육식하는 것은 묵인되는 편이다. 티베트 불교는 채식을 권하기는 하지만 기후조건상 육식을 하며, 상좌부 불교의 경우 육식을 허용한다.

자이나교는 살생에 대하여 매우 극단적인 견해를 갖고 있어, 육식 금지는 물론이거니와 채식조차도 무화과처럼 자그마한 씨앗을 가진 열매나 달콤하고 끈적끈적한 조직을 가진 식물들은 생명의 집합체로 보고 안 먹는다. 오직 이파리 등을 먹는 것으로 한정한다. 참고로 술이나 꿀도 온갖 생명체들이 가득 차 있다고 보기 때문에 안 먹는다.

힌두교는 채식주의를 하는 것으로도 알려진 경우가 많고, 실제로 부분적으로는 그렇기도 하다. 실제로 힌두교가 융성한 인도는 세계 최대의 채식주의자 수를 가진 나라며 7월 중순~8월 중순까지는 육식을 멀리하는 쉬라완(Shrawan)달이 있다. 하지만 순수한 채식주의라기보다는 음식의 부정함과 정갈함을 엄청나게 따지는 편식에 가깝다.[27]

4) 건강상의 동기

다음은 건강상의 동기에 의해 채식주의를 하는 경우이다. 최근 많은 사람들이 건강을 위해 비건 식생활을 시도한다. 2016년 미국 하버드대 연구팀이 국제 학술지 PLOS Medicine에 밝힌 연구결과에 따르면, 동물성 식품 섭취를 줄이고 식물 기반 섭취를 많이 섭취하는 것이 2형 당뇨병 발병 위험을 34% 낮춘다고 한다. 건강한 채식이 식이섬유와 항산화 물질, 불포화 지방산, 마그네슘 등 미량 영양소의 함량이 높아서 당뇨병을 예방하는 것이다. 또한 채식은 건강한 장내세균을 늘리는 데 도움이 되며, 여드름을 방지하고 기미, 주근깨를 없애 피부미용에 좋다.

또한 소화 기관의 기능이 약하거나 피부 등에 알러지가 있거나 하여 육류를 먹으면 불편함을 느끼는 경우가 있다. 고 지방, 고 콜레스테롤 위주의 식단은 순환계 장애를 불러일으키므로, 채식 위주의 식단은 그러한 면에서는 큰 유리함을 가진다. 하지만 일반적인 식사에서 육류를 통해 섭취하는 필수 아미노산, 칼슘, 비타민 B12 등의 영양소 결핍이 발생할 수 있으며, 이에 대한 적절한 대비 없이 채식을 시작하면 심각한 건강 문제를 겪을 수 있다.

그러나 육류를 과다 섭취하면 다이어트뿐 아니라 건강에 치명적인데, 특히 육류에는 단백질이 과다하게 많은데 단백질을 과잉 섭취하게 되면 몸이 산성화되고 알레르기 질환, 골다공증 등이 생긴다. 또 육식을 하면 콜레스테롤을 많이 섭취하게 된다. 콜레스테롤이 혈관에 축적되면 동맥경화, 고혈압을 일으키고 중성지방도 많아 비만, 대장암, 유방암, 전립선암, 당뇨에 영향을 미치기도 한다. 또한 육류는 야채류보다 세 배나 많은 시간을 장에서 보내고, 딱딱한 변이 장벽에 달라붙어 대장염, 대장암을 유발할 위험이 크다. 콜린 캠벨 코넬대학교 영양생화학과 명예교수는 <건강, 음식, 질병에 관한 오해와 진실>에서 "모든 종류의 암, 심혈관질환, 그 밖의 퇴행성 질환의 거의 대부분이 채식 위주 식단을 선택하는 것만으로도 예방이 가능하다" 고 말했다.[28]

---

27) 자료: 위키피디아
28) HUFFPOST, 비온뒤, 영향학적으로 짚어보는 채식주의의 허와 실“, 2017.08.18

5) 심리적 원인

심리적인 원인에 의한 채식주의는 일반적인 경우는 아니지만 과거 도살 등의 대한 동물학대의 현장을 목격하는 등의 체험이 이러한 행위에 영향을 끼친 경우를 말한다. 동물학대에 대한 트라우마가 없을지라도 동물학대에 대한 거부감으로 채식을 시작할 수 있다.

6) 경제적인 원인

경제적인 원인 또한 자의에 의한 경우보다 반강제적인 경우가 대부분이다. 고기를 먹고 싶어도 돈이 없어서 채식을 하는 사례에 해당되는데, 몽골 같은 예외를 빼면 대부분의 개발도상국이나 대한민국같이 평범한 소득수준에 높은 식료품 가격을 가진 경우가 이런 편이다. 채식 국가들은 당연히 고기가 최고급 음식으로 대접받는 경우가 많다. 인도도 기후나 종교적인 이유 외에 경제적인 이유로 비채식 메뉴가 채식 메뉴보다 훨씬 비싸다.

7) 그 외 원인

미용적인 목적에서 채식을 하는 경우도 존재한다. 노화방지나 피부 미용 등을 이유로 먹는 경우가 그것이다. 또한 일부 운동 선수들이 컨디션 유지를 위해서 일시적으로 채식을 하는 경우도 존재한다. 고기가 가진 맛과 냄새를 싫어해서 육류를 먹지 않는 경우도 있다.

경우에 따라선 본인이 채식주의자가 되려고 한 게 아니라 육식을 좋아하거나 육식음식을 먹고싶은데도 몸이 받지않아서 예를 들어 고기, 생선 알러지를 가지고 있거나 치료 중일 때 어쩔수 없이 채식주의자가 되어야하는 사람들도 있다. 채식주의자가 되려 한 게 아닌 사람들은 채식자라고 하기도 하며 가장 타의에 의한 채식주의 중 하나로 당사자에게 큰 고통을 안겨준다.

5. 채식주의 반론

위에서 알아본 봐와 같이 채식주의를 하는데는 다양한 이유가 있으며 그에 따른 긍정적이 결과를 초래하기도 한다. 하지만 그렇다고 해서 채식주의가 맹목적으로 옳다고만을 볼 수 있는가에 대해서는 쉽게 답하지 못할 것이다. 이번 장에서는 위에서 언급한 채식주의를 하는 이유에 근거한 반론에 대해서 들어보고자 한다.

1) 윤리적 동기 반론

육류의 소비가 늘면서 문제는 늘어나고 있다. 엄청난 양의 사료를 확보해야 하고, 가축이 쏟아내는 분뇨와 같은 축산 폐기물을 처리하기도 쉽지 않다. 쇠고기 1kg을 얻으려면 16kg의 사료를 먹여야 하기에 자원의 낭비도 심하다. 성장 호르몬과 항생제에 대한 걱정도 크고 육식이 잔인하다는 이야기도 많다.

공장식 축산의 실체를 알면 충격적이다. 닭의 자연수명은 약 25년. 육계는 부화 후 약 35~49일, 암컷인 산란계는 생후 15개월까지 좁은 공간에서 알만 낳다가 폐사된다. 돼지의 자연 수명은 약 15년이지만 수퇘지는 6개월 이후, 암퇘지는 4년간 새끼를 낳다가 생식능력이 사라지면 도축된다. 소의 경우 자연 수명은 약 20년. 수소는 3년, 암소도 4년을 넘기지 못하고 도축장으로 향한다. 제 수명도 못 누리며 과정도 혹독하다.

에너지 낭비를 줄이도록 움직이지 않게 좁은 공간에서 제철의 풀 대신에 최적화된 사료를 먹고 자란다. 젖소는 매일 최대 58kg의 우유를 생산한다. 원래 1년에 몇 번, 12개 정도만 알을 낳는 닭은 1년 동안 자기 체중의 8배에 달하는 달걀을 거의 매일 생산한다. 육계는 불과 사료 3kg으로 고기 1kg이 될 개량종이고 1974년 289kg이던 한우 수소의 평균 체중은 2004년 542kg으로 늘었다. 가히 공산품이라 할 수 있을 것이다.

하지만 영양학적으로 문제인 것은 아니다. 우리가 먹는 것은 탄수화물, 단백질, 지방이라는 성분일 뿐이고 이것 자체가 변하지는 않았기 때문이다. 육식이 채식보다 더 잔인하고 나쁘다는 주장도 언제나 옳다고 할 수는 없다.

동물과 식물은 서로 도움을 주고받기도 하고 잔인하게 경쟁하기도 한다. 식물은 독성물질과 피톤치드로 초식동물과 곤충을 공격하고 식물끼리도 치열하게 경쟁한다. 양치류는 침엽수에게, 침엽수는 활엽수에게, 활엽수는 다시 초본류에 밀리는 치열한 경쟁 과정을 보면 자연이 서로 도와가면서 평화롭게 산다는 인식은 우리의 착각일 뿐이라는 것을 알 수 있다.[29)]

또한 채식주의자들은 대부분 도덕적인 이유로 채식을 택한다. 다른 생명을 희생하면서까지 육식을 하고 싶지는 않아서다. 그런데 과일은 먹어도 된다고 생각한다. 자신들의 먹는 행위는 달콤한 과육에 둘러싸인 그 과일의 자손(씨)을 죽이는 행동인데도 자신들의 행위가 다른 생물의 죽음을 초래하지 않는다고 생각한다. 그러나 동물과 식물 사이에는 포식자가 먹이를 먹고

29) ㅍㅍㅅㅅ, 최낙언, "채식주의가 무조건 건강을 보장하진 않는다", 2017.08.29

어느 순간 먹이가 포식자를 먹는 호혜 관계가 존재한다. 이미 과일나무에는 우리의 분뇨(질소, 무기질, 미생물)와 살과 뼈가 깃들어 있다. 채식주의는 이를 인정하지 않고 그 순환계에서 자신들만 빠지려 한다.

인간은 우리 눈에 보이지도 않는 수백만 종류의 생물에 의존하고 있다. 인간이 하지 못하는 생산과 분해 작업을 해내는 이들이 없다면 지구상의 생명은 몇 초 사이에 사라지고 말 것이다. 살아 있는 모든 것이 다른 살아 있는 것에 의존한다는 점에서 생명을 "상호 의존의 연속"이라고 표현할 수 있다.. 누군가 살기 위해서는 실제로 누군가가 죽어야 하는 것이다. 이 둘 중 하나를 선택해야 한다. "생명을 파괴하는 죽음"과 "생명의 일부인 죽음" 중에서 채식주의의 가장 큰 문제는 바로 이러한 '자연에 대한 무지(無知)'다.

이밖에도 동물의 고통에 대한 논란은 채식주의를 하나의 이유인데, 채식주의 논의에서 인간에 준하는 윤리적 존재로 인정받는 동물이 식물과 별개로 취급받아서 윤리적 존재로 다뤄질 이유가 있냐는 것이다.

일부 채식주의자들은 고통에 대해 논한다. 대표적으로 피터 싱어와 같은 학자가 초기에 윤리적 동기를 통한 채식을 주장했다. 동물권은 우월한 이성을 가진 개체에 의해서만 판가름나며, 이성이 없는 식물은 천부권이 없다고 여기는 것이다. 이에 관해 반대 입장의 윤리학자들은 식물도 생명인데 고통을 느낀다는 사실만으로 식물과 동물에 차등을 둔다면, 유사성에 근거한 인간 기준의 재단을 통한 합리화에 불과하다는 비판으로 맞선다.

가령 동물이 다리를 다치면 인간과 매우 유사한 방식으로 고통을 호소하지만, 식물은 그런 매커니즘을 갖고 있지 않거나 우리와는 다른 방식을 지닌다. 그래서 인간은 유사한 삶과 형체를 공유하는 동물에게 좀 더 동질감을 느끼고, 이를 통해 유사성에 근거한 윤리적 지위를 부여하고 있을 뿐이라는 것.

그러나 전형적인 동물에 고통에 가반한 윤리학의 입장은 위와는 상당히 차이가 있다. 가장 대표적 학자인 피터 싱어는 사실 천부권이나 이성에 기반하여 채식을 주장하지 않는다. 피터 싱어는 기본적으로 쾌락주의, 즉 공리주의 윤리관을 지지한다. 이는 쾌락을 극대화하고 고통을 최소화하는 것이 바로 가장 윤리적인 행위라는 입장이다.

한편 이러한 반대 측 학자들 중 일부는 채식주의가 인간의 오만일 뿐이라고 경멸하기도 한다. 앞서 말한 것과 같이 다른 생명체에 대해 차등을 부여해서 자기 자신의 행위를 정당화하거나 비판하는 것 자체가 인간 존재에 대한 자의식 과잉이며, '생태계 속에서 함께 살아가는 인간'이 아니라 '생태계 위에 군림하는 특별한 존재로서의 인간'의 극단적인 자화상이라고 비판한다.

결국 인간도 생태계 속에서 존재하는 종의 하나일 뿐인데 인간 자신의 자연적 성향(잡식)을 무시하고, 타 종에 대한 통제나 방임을 스스로 결정함으로써 자신의 도덕적 지위가 타 종에 비해 우월함을 만천하에 과시하고자 한다는 것. 그리고 이를 통해 자연과 함께 살아가기보다는 자연과 괴리된 인간을 추구하는 인간 중심주의의 또 다른 표출일 뿐이라는 것이 이들의 비

판이다.

그러나 동물 고통의 대한 논의는 동물권의 각론일 뿐이다. 채식주의와는 대척점에 있는 축산업에서도 인도적인 이유가 아니더라도 육류의 품질이나 비용 절감을 이유로 동물 고통을 줄이려는 움직임이 있다. 즉 동물의 고통 여부가 윤리적 채식주의 최주요 논리기반이 아니다. 인권이나 동물권이나 이성을 통해 발명된 인공의 산물이며, 따라서 위계적 모순을 가진다. 계몽주의에서는 인권과 이성이 밀접한 관련이 있다고 보는데, 이에 대한 논의가 아직도 남았다.[30]

이뿐만 아니라 이러한 동물 권리주의는 인간 중심적인 사고라는 의견이 있다. 채식주의에서 "다른 생명을 먹지 않는다"라고 할 때 이 생명에는 식물이나 곤충은 포함되지 않는다. 식물을 "감각이 없는 샐러드" 정도로 취급하는 것이다. 식물도 수십·수백만 종의 복합 화합물 혹은 2차 화합물을 만들어 내고 곤충뿐 아니라 척추동물의 서비 기관(vomeronasal organs)과 의사소통을 하는 살아 있는 생명체다. 인간이 알아차리지 못할 뿐이다. 동물이라고 모두 포함되는 것도 아니다. 하지만 이는 왜 어떤 생물이 죽어도 되는지 결정하는 기준이 인간이 되어야하는지에 대해서 의문점을 지닌다.

채식주의 윤리는 결국 기계적인 모델의 한 변형일 뿐이라는 것이다. 그 윤리 체계는 우리 인간의 인본주의적 혹은 종교적 윤리 체계를 우리와 비슷하게 생긴 몇몇 동물에게만 확대·적용한 것일 뿐이다. 감각이 있고 살아 숨 쉬고 의사소통을 하면서 산소와 흙, 비, 바이오매스를 만드는 세상의 나머지 생명, 그 수십억 종의 생물은 완전히 무시되고 만다. 그들이 생명을 만들고, 바로 그들이 생명이다. 그러나 그들을 죽은 물질이라 선언하는 채식주의 윤리는 이 세상 전체를 죽은 물질이라 선언하는 것이나 마찬가지다. 채식주의자는 정의와 연민, 살아 있는 문화를 끝없이 갈망하지만, 그들의 윤리는 세상을 파괴하는 패러다임에서 벗어나지 못하고 있다는 주장이 있다.

다만 채식의 윤리적 문제를 단순히 '동물의 결과론적인 희생'이라는 부분에만 초점을 맞추는 것은 옳지 않다. 애초에 채식주의에 대한 논의의 가장 큰 부분은 '동물권'에 대한 논의이며, 이는 현재 자행되어지고 있는 비윤리적인 방식의 목축 및 도축업에 대한 반발이지, 인간이 살기 위해선 동물을 희생시킬 수 밖에 없다는 1차원적인 논의가 아니다.[31]

30) 자료: 위키피디아
31) healthdayvews, 박미진, “채식의 배신-불편해도 알아야 할 채식주의의 두 얼굴”, 2013.03.07

2) 환경적 인도적 동기 반론

환경적인 이유로 채식주의를 하는 사람들은 채식이 환경에 부정적인 영향을 끼친다고 주장한다. 이에 대한 반론으로는, 인간이 결국 건강하게 살려면 육식은 필수라는 점을 가장 큰 근거로 든다. 돼지고기 한 근을 만드는데 소모되는 사료양을 따져 가며 에너지적 낭비 측면을 부각시키는 것도 별 의미가 없는게, 칼로리로 표기되는 에너지 이외에 많은 영양소 효율 측면에서 돼지고기는 꽤 효율 높은 편에 속하기 때문이다. 계산 방법에 따라 차이가 있지만, 일조량이 꽤 많은 동네에서, 옥수수를 키우고 그 옥수수를 돼지에게 급여하여 단백질을 얻는 것이, 농경지 면적 당 단백질 생산량 측면에서 다른 식물성 단백질 생산에 비해 크게 밀리지 않는다.

그리고 이미 인류의 곡물, 고기등의 식량 생산량은 전 인구를 먹여살리고도 한참 남아 돌 정도지만 경제구조의 문제, 저개발 국가들의 정치적 불안과 저생산성 문제 때문에 굶주림이 나타나는 것이다.

1차 소비에서 끝나는 채식산업보다 2차 소비가 발생하는 축산업이 환경을 해칠 여지가 크긴 하다. 그러나 지구온난화의 원인이라고 하기엔 아직 자료가 부족하다. 축산업으로 인해 발생하는 온실가스(메탄, 이산화탄소)도 지구온난화를 유발하는 원인중의 하나라는 것 자체는 학자들 사이에서 이견이 없다. 그러나 가축이 발생시키는 가스가 전지구적 규모로 비교했을 때 얼마나 많은 온실 효과를 야기하는지는 의문이 있다. 축산업이 배출하는 온실가스는 보수적인 기준으로도 전체 온실가스 발생량의 15%를 차지한다고 본다. 가장 크게는 51%까지 보지만 이는 많이 과장된 면이 있다.

그리고 채식이라고 해서 그다지 친환경적이지도 않다. 물론 지나친 목축이 사막화를 가속화한다는 주장도 일리는 있다. 소의 무거운 몸뚱이와 단단한 발굽은 토지에 악영향을 끼치며, 토질과 식생에 맞지 않는 가축을 키우면 빠르게 사막화가 진행된다. 그러나 농업, 특히 곡류를 생산하는 농업에 비하면 새 발의 피 수준이다. 그리고 그렇게 생산한 곡물의 상당량을 가축 사료로 쓴다. 차라리 가축은 똥을 싸서 소모된 지력을 회복시키기라도 하지만, 현대의 농업은 지력을 매우 손상시킨다. 관개농업을 하면서 염류가 빠져나가지 않고 계속 축적되면 땅이 척박해지게 되는데 이를 극복하기 위해 화석연료가 포함된 화학비료를 뿌리는 것이다.

이로 인해 무기염류가 흙을 단단하게 만들고, 염류장애가 일어나 식물이 자라기가 어려워지며, 결국 소금이 하얗게 피게 되는 지경에 이르게 된다. 물론 이것을 해결하려면 오랜 기간 휴경을 하거나 아니면 강이 주기적으로 범람해서 무기염류를 행구어 줘야 하는데, 휴경을 하거나 강이 범람해서 농경지가 물에 잠기기를 좋아할 농부는 없을 것이다. 그 비옥한 토지로 4대 문명이 발생한 메소포타미아 유역이 지금은 사막이 되어버린 이유도 이 기나긴 농업에 의한 것임을 생각하자. 분명 현대농업은 일부를 제외하면 지속 가능하지 못한 상황이다.

더군다나, 분명 농경이 효율적인 면에서는 목축을 압도함에도 불구하고 상당수 문명에서 목축이 발생했던 이유는 고기에 대한 탐식 때문이 아니라 농경이 비효율적인 혹은 불가능한 환경이 분명히 존재하기 때문이었다. 당장 전 세계가 즉시 육식과 목축을 멈추고 농경과 채식을

선택한다고 치자. 사막이나 건조한 기후의 지역은 모조리 식량빈곤국가가 되어버릴 것이다. 또한 많은 경우 생산지에서 즉각 소비가 가능한 육류와 달리 식물성 농산물은 기후의 영향으로 온난대에서 사막 및 냉대기후로 옮겨지는 분량이 많을 수밖에 없다. 혹은 정글 등 기후가 온난하고 습윤하지만 농경이 힘든 지역으로도 이송될 것이다. 이러한 유통 구조에서 결국은 수송을 위해 이산화탄소가 발생하고, 과연 목축 감소로 인한 메탄가스 발생량이 농산물 수송으로 증가하는 이산화탄소 발생량 증가를 상쇄할 만큼인가는 상당히 모호한 문제다. 또한 농경이 가능하더라도 화전과 같은 형태에 의존하는 농경의 경우는 결과적으로 농경이 증가할수록 이산화탄소, 즉 온실가스를 발생시키고 숲을 감소시키는 역설적인 결과를 낳는다. 이러한 사례들에 대해 'Ecologic' 라는 서적에서는 차라리 핸드폰을 한 번 덜 바꾸는 것이 효율적이라고 꼬집고 있다.핸드폰은 공산품의 대표 예이다.

희귀금속을 비롯한 원료의 수집, 원료의 수송, 공장에서의 부품 생산, 공장 가동에 필요한 전기의 생산, 중간 부품의 수송, 부품을 조립하는 공장과 전기, 완제품의 수송, 포장 등등 모든 과정에서 화석연료가 쓰이고 이산화탄소가 필연적으로 발생하는데 이에 대해서는 사람들이 무감각한 점을 비꼬는 것. 또한 서적 내에서는 상당수 채식주의자들의 식탁에 올려지는 바나나만 해도 수송 과정에서 상당한 이산화탄소를 발생시키지만 이런 부분은 언급되지 않음을 지적하며, 환경보호'에서 비롯한 채식의 타당성이 얼마나 논리적으로 허술한지를 비판한다. 오히려 핸드폰 관련에서는 생뚱맞게 고릴라를 포함한 해당 지역의 동물들만 죽어나가고 있고 바나나 관련에서는 농사짓는 사람들의 권리가 보장받지 못하고 있다. [32]

게다가, 채식주의자들이 온 세상 사람이 먹었으면 하는 일년생(한해살이) 곡물이 오히려 대규모 파괴를 낳는다고 지적한다. 원래 지구상에 존재하는 식물의 대다수는 다년생(여러해살이) 식물로, 이들은 섬유질로 된 몸속에 탄소를 격리하고 수 킬로미터에 달하는 거대한 뿌리 체제를 흙 속에 형성해 표토를 보존한다. 표토는 모든 생명이 존재할 수 있는 토대가 되는 흙으로, 생태계에서 필수적인 역할을 한다. 그런데 1만 년 전 옥수수, 쌀, 밀, 보리 등의 일년생 식물을 재배하는 농업이 시작되면서 돌이킬 수 없는 일들이 진행됐다. 곡물을 기르기 위해 땅에 살던 모든 생명을 제거하고 흙을 노출시킴으로써 표토가 유실되었다. 강우량이 부족한 곳에서 농사를 짓기 위해 관개 시설을 만들고 인공 수로를 건설하고 댐을 쌓자, 강에서 물을 공급받던 습지대와 늪, 목초지에는 바닷물이 스며들어 흙의 염류화가 이루어졌다. 온갖 물고기와 새, 돌고래 등 다양한 동물 종이 가득 모여 사는 강변의 땅들이 점점 더 깊이 들어오는 바닷물에 의해 사라져 가고 있으며 강 하구에서는 삼각주의 침식이 진행되고 있다. 20세기 중반의 녹색 혁명의 이면에는 바로 이러한 문제가 도사리고 있다.

한편, 정치적 채식주의자들은 "인간이 먹을 쇠고기 1파운드를 생산하기 위해 소에게 4.8파운드의 곡물을 먹이는 관행은 막대한 낭비"라고 한다. 그러나 그들의 계산이 대부분 소에게 풀이 아니라 '곡물'을 먹이는 것을 전제로 했을 때나 가능한 수치들임을 지적받는다. 정치적 채식주의자들이 말하는 '풍요로운 곡물'이 사실은 진짜 풍요가 아니라고 한다. 세계 인구를 먹여 살릴 만큼 곡물을 생산하려면 비료를 사용해 과잉 생산하는 길밖에 없기 때문이다. 곡물 생산에 들어가는 비료뿐 아니라, 곡물의 파종, 수확, 가공, 운반에 필요한 기계를 움직이는 데도 모두 화석 연료가 쓰인다는 것이다. [33]

---

32) 자료: 위키피디아

정말로 환경파괴를 줄이면서 단백질도 먹고싶다면, 잉여 농산물을 원료로 사용하며, 생산 과정에서 여러 공정을 거치며 폐기물이 발생하는 콩고기 대신 별도의 처리과정을 거치지 않고 효율성도 높으며 영양가도 높은 곤충을 먹으면 된다는 반론이 있다. 남아도는 곡물로 비효율적인 단백질 전환 과정을 거친다는 지적을 받는 고기와는 달리, 곤충은 사람이 섭취가 불가능한 줄기 부분이나 껍질, 톱밥 등을 먹으면서 잘 자라고 단백질 전환률도 매우 높기 때문에 환경 및 자원낭비 문제도 없다.

'곤충도 동물인데 곤충을 먹는 게 채식주의냐'라는 반론이 있을 수 있지만, 채식주의자 중에도 곤충이 만들어낸 벌꿀을 먹는 채식주의자, 계란이나 우유, (생선을 포함한)해산물, 닭고기 섭취를 허용하는 채식주의자도 많기 때문에 채식주의 면에서도 충분히 허용 가능한 식습관이다. 혹은 곤충보다는 비효율적이지만 친환경 축산물을 사 먹는 것도 방법이다. 하지만, 대다수의 환경보호를 자처하는 채식주의자는 징그럽다거나 비싸고 구하기 힘들다는 이유로 자연에 가까운 곤충이나 친환경 축산물 대신 잉여식량을 가공하며 공장을 돌려 만든 인공 콩고기, 운송 과정에서 벙커씨유를 팍팍 써가며 지구온난화에 크게 기여중인 바나나와 아보카도 같은 열대과일을 먹는다는 것이 채식주의가 환경을 정말로 보호하는 생활인지 의문점은 갖는 다는 의견을 보인다.

다음은 인도주의적 차원에서의 논란이다. 채식주의자는 육식을 하지 않음으로써 가축의 먹이로 쓰기 위한 곡물 소비가 줄어들고, 따라서 잉여 곡물이 늘어날 것이며 저하한 곡물 가격은 기아에 처한 사람들에게 도움이 될 수 있다고 주장한다. 같은 원리로 줄어든 목초지가 농경지가 되면 더욱 많은 잉여 곡물이 발생한다는 주장도 있다. 2009년 기준으로 축산업에 의한 곡물소비 비율은 35%에 달한다. 채식주의자들은 이를 바탕으로 '채식주의가 확산되면 육류 소비가 줄어들고 그에 의해서 축산업의 곡물 소비 비율도 줄어 결국 인간에게 돌아갈 잉여 곡물이 늘어날 것'이라고 생각한다.

하지만 이는 산업 자본과 권력의 영향력을 간과하는 순진한 생각일 뿐이라고 반대론자들이 주장한다. 시장원리상 잉여 곡물은 기아 지역으로 옮겨지기보다는 쓰레기가 되어 버려지거나 그 곡물을 재배할 확률 자체가 줄어버린다는 문제점이 있다. 즉, '납품되고 수익이 창출되니까' 그 어마어마한 곡물이 생산되고 있는 것이다. 가축에 대한 곡물 수요가 없어진다고 해서 곡물 생산 기업이 갑자기 자원 봉사 단체로 바뀔 리는 없다. 수요가 없어지면 공급도 없어진다. 잔인한 말처럼 들릴 수 있겠지만 돈을 지불할 능력이 없는 기아 지역의 사람들은 경제학적 관점으로나 실질적으로나 '수요'가 아니다. 이들에게 대규모 쌀을 지원했더니 아프리카 군벌은 더욱 더 커져있고, 이슬람 과격단체는 보급이 더욱 더 좋아진다. 되려 불쌍한 난민들만 군인으로 끌려가고 자살폭탄 테러용으로 이용된다고 한다.

1970년대 미국에서도 저런 취지로 햄버거를 먹지 말자는 운동이 있었다. 그렇게 남아도는 곡물들이 기아에 시달리는 사람들에게 전해진다는 것이 목표였는데 나중에 조사해보니까 그렇게 소비되지 않은 곡물들은 그저 모조리 폐기처분당했을 뿐이었다. 오히려 애꿎은 농민/축산업자만 손해를 봤다는 이야기가 있다.

---

33) healthdayvews, 박미진, "채식의 배신-불편해도 알아야 할 채식주의의 두 얼굴", 2013.03.07

몇십 년 더 거슬러 올라가서, 1930년대 대공황 당시 농부들도, 값어치가 없어진 수확한 곡식과 과일들을 땅에 묻고 석유를 뿌린 후 불질러버렸다. 심지어 농부들이 폐기하려고 쌓아둔 작물들을 훔치려는 거지들을 향해 총을 쏘는 일도 있었다. 지구 반대편도 아니고 자국 내에서 기아로 허덕이는 사람들이 바로 눈앞에 있는데 말이다.결국 이는 생산(량)의 문제가 아니라 분배의 문제인 것이고, 위에서도 이미 말했지만 전세계 식량 생산량은 이미 실제 실수요의 두 배 정도로 생산되고 있다.[34)]

또한 이는 시장, 기업논리에서도 나타나는데, 거대 다국적 식품 기업들이 선진국 정부로부터 지급받는 보조금은 3600억 달러에 달한다. 이들이 전 세계 곡물 가격을 압도적으로 낮추고 있다. 이미 세계 곡물 교역의 절반을 카길과 컨티넨털이라는 두 회사가 장악하고 있고, 옥수수의 75퍼센트를 5개 기업이 통제하고 있으며, 콩 가공의 80퍼센트를 4개 기업이 장악하고 있다. 이들이 형성시킨 낮은 가격과 생산 비용의 차액은 미 연방 정부의 돈, 다시 말해 미국 납세자의 돈으로 메운다. 이들 기업은 기아에 허덕이는 사람들이나 자신들로 인해 농장을 잃은 농민 등 사회적인 책임감을 전혀 느끼지 않으며 오직 주주에게만 책임을 진다. 또 생산 원가보다 싸게 책정된 곡물 가격은 채식주의자들이 그토록 혐오하는 공장형 축산업의 바탕을 이룬다. 풀을 먹던 반추 동물을 좁은 우리에 가두고 곡물을 먹여 속성으로 키우는 공장형 축산이 가능하게 된 것은 곡물 메이저들의 전략과 정확히 일치한다. 상품화된 저가 식품과 정치적 채식주의의 윤리가 굶주리는 아이들을 만드는 것이다.

이와 같이 주장하는 사람들은 공장형 축산으로 생산된 동물성 제품을 거부하는 것은 동물과 지구를 위해 옳은 일이지만, 그 행위 자체로는 굶주린 사람 한 명의 배도 채울 수 없다고 말한다. 배고픈 사람은 미국산 곡물을 살 돈이 없다. 그 돈을 마련하기 위해서는 세계화를 배후 조종하는 사람들에게 더 의존하는 수밖에 없다. 멀리서 운송해 오는 값싼 식량 제품들은 유일하게 안정적으로 식량을 마련할 수 있는 방법인 지역 식량 생산을 파괴하고 만다. 바로 이런 이유 때문에 어떤 국제 원조 기구도 세계 기아 문제의 해결책으로 채식주의를 권고하지 않는 것이다. 채식주의는 해결책이 아니기 때문이다. 모두 배불리 먹는 정의로운 세상을 간절하게 염원하는 사람에게는 단순한 해결책, 개인적으로도 실천할 수 있는 해결책이 얼마나 매력적으로 보이는지 이해한다. 그러나 콩으로 만든 버거를 사는 것은 감정적으로 위안이 될지는 모르나 끈질기고 끔찍한 힘의 뿌리와 불평등을 해결하는 데는 전혀 도움이 되지 않는다. 상표를 확인해 보라. 문제를 일으키는 장본인인 기업들에게 당신의 돈이 가고 있을 확률이 높다고 생각한다. [35)]

더구나 아무리 인도주의적인 관점에서 식량난에 허덕이는 국가에 식량을 원조해주어도 정작 그 식량이 필요한 사람들이 아닌 엉뚱한 사람들이 혜택을 받아 식량난이 더욱 악화되는 일이 생기도 한다. 한 뿐만이 아니라 식량난에 허덕이는 국가들은 모두 이 부정부패 문제에서 자유롭지 못한 실정이라 아무리 막대한 식량을 그 나라에 보내주어도 제대로 분배가 되는지 감시하지 않는 한 중간에서 이 놈 저 놈 아무나 떼어먹어 본래 구조하려 한 사람들이 구조를 못받는 모순된 상황을 해결할 수 없다. 앞서 말했듯이 아프리카에 지원 한 대규모 식량과 물자는 아프리카 군벌의 군량미와 보급품이 되었고, 이슬람 과격 무장단체의 보급품이 된다. 오히

34) 자료: 위키피디아
35) healthdayvews, 박미진, "채식의 배신-불편해도 알아야 할 채식주의의 두 얼굴", 2013.03.07

려 도와주면 도와줄수록 아프리카의 군벌은 더욱 더 커져 불쌍한 사람들이 군인으로 더욱 많이 끌려가는 결과를 낳게 된다. 많은 구호단체를 다닌 베테랑들이 한 목소리로 말하는 것이 진정으로 이런 난민들을 돕고 싶으면 자유와 인권을 존중하는 나라의 강력한 군대(ex.미군)가 와서 질서부터 바로 잡아야줘야 한다는 점이다. 심지어 우리나라조차 미군이 진주하기 전까지 국제 구호품을 면이나 군수들에게 한번 빼앗긴 다음 재 배급받는 일이 많았다.

또한 빈곤 문제에는 단순히 경제적인 수요와 공급만이 아니라, 치안 문제나 정치적 불안 같은 수많은 원인이 있다. 예를 들어 내전 등으로 인해 치안이 극도로 불안정해진 지역은 유통망이 완전히 끊겨서 외부에서 잉여 곡물을 보낼 수 없게 돼버린다. 예를 들어, 아일랜드 대기근 같은 경우를 보면 알겠지만 약간의 생산량 저하는 있었지만 식량은 충분했고, 실은 구휼 시스템이 갖춰지지 않았던 시스템과 그런 시스템을 갖추길 거부하는 경제논리에서 비롯된 비극이었다.

그렇기 때문에 이러한 주장을 피력하는 사람들은 채식주의가 빈곤 문제에 대한 적절한 대책이 아니라고 생각하며, 가난하고 굶는 사람을 돕고 싶다면 기부나 자원봉사 활동, 평화유지 활동을 통해 적극적이고 직접적으로 돕는 게 더 훨씬 나은 것이라고 말한다. [36]

---

36) 위키피디아

3) 건강상의 동기

채식주의를 시행하는 가장 많은 동기 중에 하나는 건강상의 이유이다. 유럽이나 미국 등 선진국에서 채식장려운동이 활발하게 벌어진 가장 큰 이유는 지나친 육식으로 지방이 총칼로리 중 40~50%를 차지하기 때문이다. 세계인의 1/15에 해당하는 미국인이 세계 고기생산량의 1/3을 먹는다. 평균의 5배를 먹는 셈이다. 그런 미국인에게 지금보다 고기를 적게 먹고 채소를 더 먹는 것은 당연히 몸에 좋다. 하지만 한국인은 총칼로리 중 지방이 차지하는 비율이 19% 정도다. 적정선이다. 한국에도 채식 열풍이 부는 이유는 미국인에게 맞는 지식이 너무 많이 전달되었기 때문이다.

그러나 지나친 채식의 문제점은 섬유소가 위장 벽을 상하게 하고, 소화를 방해하고, 장 내에서 무기질의 흡수를 방해할 수 있다는 것이다. 채소에 많은 아질산 과잉 섭취, 빈혈, 결석의 발생 가능성도 생각해 보아야 한다. 한때 채소즙을 마시는 것이 대유행이었는데 부작용도 많았다. 매일 자몽 주스 240mL를 마시면 신장결석을 일으킬 확률이 44% 정도 증가한다.

동물성 식품에만 존재하는 영양소가 콜레스테롤과 비타민 B12다. 칼슘·철분·아연은 채식만으로는 충분히 섭취하기 힘든 미네랄이다. 따라서 채식을 고집하려면 '잘 짜인' 식단을 준비해야 한다. 식물성 단백질에는 대개 한 가지 이상의 아미노산이 빠져 있고, 무기질 함량도 채소마다 다르다.

육류·우유·달걀 등은 한 가지 식품만 섭취해도 필요한 단백질이나 무기질을 얻을 수 있다. 엄격한 채식을 고집하려면 메뉴를 신중히 짜야 한다. 그래도 임신 여성, 모유를 먹이는 산모, 성장기 어린이와 청소년, 식사량이 부족한 노인은 채식주의가 적절하지 못하다.

대개 채식주의자라고 하면 날씬한 사람을 떠올리는데 뚱뚱한 채식주의자도 있다. 문제는 무엇을 먹느냐가 아니라 얼마만큼 먹느냐이다. 채식도 많이 먹으면 비만이 될 수 있다. 채식주의자 중 날씬한 사람이 많은 것은 이들이 즐겨 먹는 채소·과일 등이 저열량 식품이기 때문이라기보다 건강에 관심 두고 적당히 운동하는 등 건강한 생활 습관을 지닌 덕분이 더 크다.

무엇보다 중요한 것은 자신이 채식에 맞는 사람인지를 아는 것이다. 누구나 채식에 맞는 것은 아니다. 안 맞는 사람도 많다. 만약 채식에 안 맞는 사람이 고기를 전혀 먹지 않고 채식만 하면 오히려 병을 얻기 쉽다. 참고로 한국인의 절반 이상은 체질상 고기를 먹는 것이 좋다. 채식이 맞지 않는 사람의 고통 체험담도 많다.[37]

많은 채식주의를 주장하는 사람들은 채식을 하다가 영양 문제가 생겨나 건강에 문제를 호소하는 사람에 대해서 적절한 대안을 제시하지 못하는 경우가 매우 흔하다. 물론 죽을 지경에 이르기는 어렵지만, 건강에 문제가 발생하면 동료 채식주의자에게 상담을 하기보다는 의사의 말을 더 귀담아 들어야 한다.

---

37) ㅍㅍㅅㅅ, 최낙언, "채식주의가 무조건 건강을 보장하진 않는다.", 2017.08.29

곡물이 주식으로 등장한 것은 인간의 식생활 역사에서 비교적 최근의 일이다. 유전적으로 적응해 온 식생활에서 멀어지고 농업 생산물을 기초로 한 식생활을 하면서 인간은 당과 전분이라는 단일 영양식을 먹게 되었고 그로 인해 수많은 퇴행성 질환을 앓게 되었다. 우리가 섭취하는 열량의 70퍼센트 이상이 석기 시대 조상들이 거의 혹은 한 번도 먹어 보지 않은 음식에서 나온다. 영양실조, 골수염, 골막염, 기생충, 인도 마마, 매독, 한센병, 폐결핵, 빈혈, (어린이에게 오는) 구루병, (어른에게 오는) 골연화증, 아동 성장 부진, 성인의 평균 키 감소 등은 농업이 확산된 이후에 번진 질병들이다

선진국의 현대인은 동물성 지방의 섭취가 많지만 그렇다고 육류를 제거한 채식주의 자체가 건강에 뛰어난 식생활은 아니다. 채식만으로는 특정 필수 영양소와 필수 비타민을 충분히 공급받지 못할 가능성이 많다. 당연하지만 채식주의도 편식이다.

채식만 하는 사람이 오히려 혈전이나 동맥경화증이 발병할 위험이 높을 수 있다는 연구 결과도 있다. 2011년 4월 미 연구팀 발표에 의하면 과거 30년 동안 진행된 연구 결과 12종을 분석한 결과 채식하는 사람들이 심장마비와 뇌졸중을 유발하는 혈전증과 동맥경화증 발병 위험이 높은 것으로 나타났다. 채식주의자들은 철분과 아연, 비타민 B12, 오메가-3-지방산 등의 일부 주 영양소가 부족한 경향이 강하며 혈중 호모시스테인이 높고 HDL 콜레스테롤은 낮아 심장질환이 발병할 위험이 높은 것으로 나타났다.

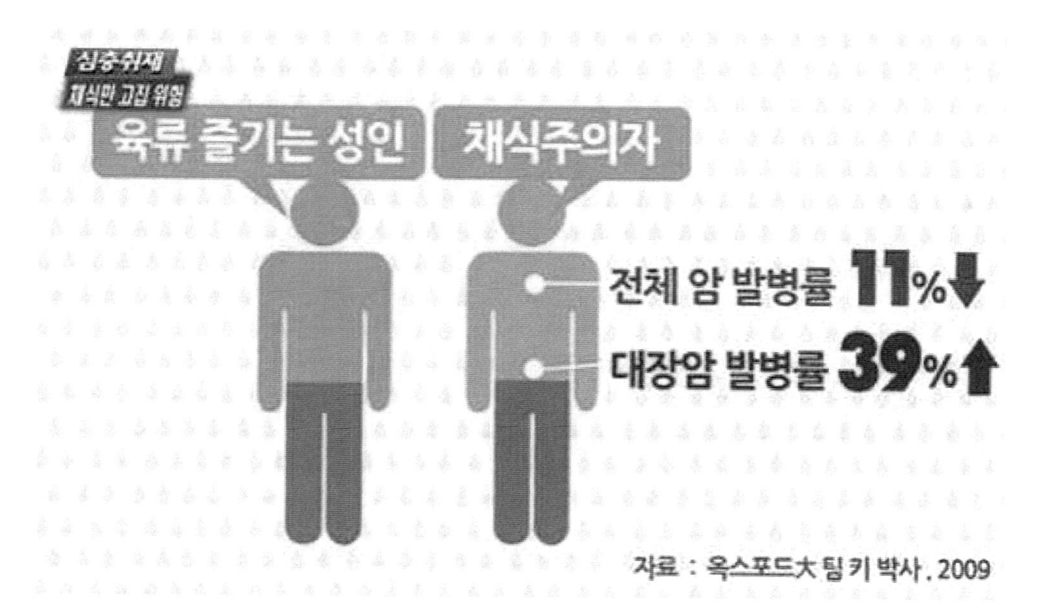

그림 14 채식주의 질병 발병률

특히 여자들은 월경을 하기 때문에 남자에 비해 육식을 더 적극적으로 해야 하는데, 월경은 결국 일종의 출혈이며 이로 인해 철분이 계속해서 소실되기 때문이다. 고기로는 쉽게 보충할 수 있는 철분을 채식으로는 충분히 섭취하기가 아주 힘들다. 또한 연구에 따르면, 권장량만큼 섬유소를 섭취한 여성은 에스트로젠이 낮아 섬유소를 덜 섭취하는 여성보다 배란이 잘 되지 않는 것으로 나타났다. 2012년 5월 소아 건강&인체발달연구소 연구팀이 18~44세 여성 250명을 대상으로 한 연구 결과 권장 기준만큼 섬유소를 섭취한 여성이 혈중 에스트로겐 및 기타

수태능과 연관된 호르몬이 낮았다. 특히 과일 등의 고섬유소를 섭취할 경우 난소가 난자를 배출하지 못하는 무배란 생리주기가 발병할 위험이 커진다.

위에서 언급한것과 같이 채식만 고집하는 것이 또 다른 편식으로 보인다. 고려대 구로병원 가정의학과 조성중 교수는 "채식만 한다는 것 자체가 위험하다"며 다음과 같은 이유를 들었다.

첫째로 식물성 단백질만으로는 체력·면역력이 축나기 쉽다. 신체 성장과 생리 기능에 필요한 영양소를 충분히 공급할 수 없기 때문이다. 조성중 교수는 "콩에는 필수아미노산 중 하나인 메티오닌과 라이신이 풍부하지만 시스틴·트립토판은 부족하다"고 말했다. 반면에 동물성 단백질에는 10종의 필수 아미노산이 골고루 있다. 차움 디톡스슬리밍센터 이윤경 교수도 "필수아미노산은 체내에서 충분히 합성되지 않으므로 반드시 음식에서 공급받아야 한다"고 말했다. 특히 식물성 단백질만으로는 근육뿐 아니라 피부·머리카락·손톱과 같은 인체 조직의 원료를 모두 충족시키기 어렵다. 호르몬이나 각종 효소의 주성분도 단백질이다.

둘째로 신체 건강상태에 따라 고기를 안 먹는 채식이 병을 키울 수 있다. 먼저 성장기 어린이에게 문제가 된다. 이윤경 교수는 "섬유소만 과하게 먹으면 칼슘·아연·마그네슘 같은 무기질이 체내에 흡수되는 것을 방해해 영양결핍이 생길 수 있다"고 말했다. 성인에게도 복통이나 복부팽만감 같은 증상이 오기 쉽다. 이 교수는 "채소 섬유질이 장내에서 가스를 많이 생성하는데 평소 위장관에 문제가 있어 트림·소화불량이 있거나 변비·복부팽만감이 있다면 증상이 더 심해진다"고 말했다.

셋째로 단백질을 효율적으로 섭취하지 않으면 포만감이 줄어 자칫 과식으로 이어진다. 강재헌 교수는 "채식만으로는 포만감이 충분치 못해 간식을 찾고, 이것이 탄수화물 과잉으로 이어지는 악순환을 부른다"고 말했다. 이런 이유들 때문에 건강한 성인에게도 장기간 채식만 하는 건 권하지 않는다. 이윤경 교수는 "성장기 어린이와 노인, 임산부, 수술 후 회복 중인 환자는 부작용이 더 크고 빠르다"고 말했다.

육식을 하면 콜레스테롤이 쌓일까 두려워하는 이가 많다. 포화지방 때문이다. 강재헌 교수는 "고기가 심혈관·동맥경화 질환의 주범이라고 생각하는데 이는 편견"이라며 "갈비·삼겹살에는 포화지방이 많지만 안심·다리살 같은 부위는 다른 식품·고기보다 포화지방이 훨씬 적다"고 말했다. 그는 이어 "고기는 적절히 섭취하면 다이어트에 유용한 식품 중 하나"라며 "주성분이 단백질이므로 포만감을 주고 아미노산·비타민B군 같은 영양소가 풍부하다"고 말했다. [38]

이처럼 고기를 안 먹게 될경우 암과 같은 질병등에도 훨씩 취약할 수 있다. 일반적으로 채식이 육식 보다 신체를 건강하게 만들어주고 삶의 활기를 불어넣어줄 것 같지만 실은 정반대라는 주장이 제기돼 관심이 집중되고 있다. 미국 CBS 뉴스는 오스트리아 그라츠 의과 대학 연구진이 채식주의자가 육식주의자보다 삶의 질이 떨어지고 각종 질환을 앓을 확률이 높다는 연구결과를 발표했다고 2014.4.1일(현지시간) 보도했다. 그라츠 대학 연구진은 오스트리아 전 국

38) 중앙일보, 이민영, 고기 끊고 채식했는데 … 콜레스테롤 왜 높아졌지?, 2015.05.18

민을 대상으로 수집된 국립 질병관리 건강 데이터를 분석한 결과, 기존 인식과는 차별화된 수치를 얻게 됐다. 채식주의자들이 육식주의자들보다 각종 신체 알레르기 질환을 앓게 되는 경우가 2배, 심장 마비 등의 심혈관 질환과 각종 암을 앓게 될 확률이 각각 50%가 넘는 것으로 측정됐기 때문이다. 흥미로운 것은 겉으로 보기에 채식주의자들은 육식주의자들보다 신체 활동이 활발하고 담배와 술을 멀리하며 체질량지수(BMI)도 낮았지만 암과 같은 치명적 질환에 노출될 확률이 상대적으로 더 높게 나왔다는 것이다. 심지어 채식주의자들은 육식주의자들보다 불안장애, 우울증 등의 정신질환을 앓게 되는 경우도 많았다.
채식이 해당 질환 유발 여부와 어떻게 연관되는지에 대한 정확한 기전(機轉)은 아직 밝혀지지 않았다. 다만 동물성 지방을 멀리하는 것이 반드시 옳은 것만은 아니라는 것이 의학 전문가들의 생각이다.
그라츠 의대 연구진은 "해당 조사 결과는 채식만을 고집할 경우 암, 알레르기, 정신장애를 앓게 돼 삶의 질이 저하될 확률이 높다는 것을 알려준다"며 "균형 잡힌 식단을 제시해주는 공중보건 프로그램을 국가차원에서 장려해야할 것"이라고 전했다. 한편 해당 연구결과는 미국 공공과학도서관학술지인 플로스 원(PLos One)에 최근 발표됐다. [39]

이와 같이 암환자도 고기 섭취가 필요하다. 수술, 항암 약물, 방사선치료로 인해 체내 단백질이 감소하면 인체 영양 구성이 망가지기 쉽다. 채식만 고집하면 항암치료를 이겨낼 수 있는 체력을 만들기 힘들다. 고대구로병원 영양팀 김원경 영양사는 "붉은 고기가 암 발병 위험을 높이는 것으로 알려져 있지만 오해"라며 "직화구이같이 고온에서 고기를 조리할 때 생성되는 발암물질, 아질산염같이 가공육에 포함된 물질이 문제"라고 말했다.

위암 수술 후에는 철분 흡수율이 떨어지므로 고기를 꼭 챙겨 먹는다. 김 영양사는 "약물치료와 방사선치료로 고기 맛에 민감해져 쓴맛·금속 맛이 나 섭취가 어렵다면 고기를 과일·마늘·양파·카레 등과 같이 조리해 먹으면 된다"고 말했다. 이때 매끼 채소 반찬 두 가지 이상을 식사에 구성하는 것이 균형잡힌 식단이다. 김원경 영양사는 "다만 항암치료 시 약물 부작용으로 면역력이 저하됐다면 면역력 회복까지는 김치·샐러드·생채 등 생채소의 섭취를 일시적으로 제한해야 한다"고 말했다.[40]

그러므로 육식을 통해 적당량의 지방을 섭취해야 한다. 생식, 치아 발달, 면역 기능, 피부 건강, 뼈 재형성 등에 관여하는 비타민 A·D·E·K 같은 지용성 비타민은 지방이 있어야만 몸으로 흡수되기 때문에 육류는 훌륭한 단백질 공급 식품이다. 우리 몸에서 만들어내지 못하는 아홉 가지 필수아미노산을 골고루 함유하고 있기 때문이다. 또한 육류에 포함된 양질의 단백질은 체내 면역기능을 높여준다. 반면 분해되지 않는 식물성 단백질인 렉틴은 혈액으로 흘러들어가 크론병, 류머티즘성 관절염, 제1당뇨병, 다발성 경화증 등 자가면역질환에 걸릴 위험이 높아진다.[41]

이처럼 채식이 육식보다 안전한 것만은 아니다. 채소나 과일처럼 몸에 좋은 음식도 잘못 관리하면 가장 위험한 식품이 된다. 미국 공익과학센터(CSPI)는 2009년 10월 미국 질병통제에

---

39) SeeHint, 최낙언
40) 중앙일보, 이민영, 고기 끊고 채식했는데 … 콜레스테롤 왜 높아졌지?, 2015.05.18
41) HUFFPOST, "최초희, 영양학적으로 짚어보는 채식주의의 허와실", 2016.08.17

방센터(CDC) 등의 자료를 토대로 1990년 이후 미국에서 가장 빈번하게 질병을 불러일으킨 위험한 식품 10가지를 소개했다. 그중 압도적 1위는 상추, 양상추, 양배추, 꽃상추, 시금치, 캐비지, 케일 등을 포함하는 녹색 채소(Leafy Green)였다. 식중독 발생 363건이며 환자는 1만 3,568명에 달했다.

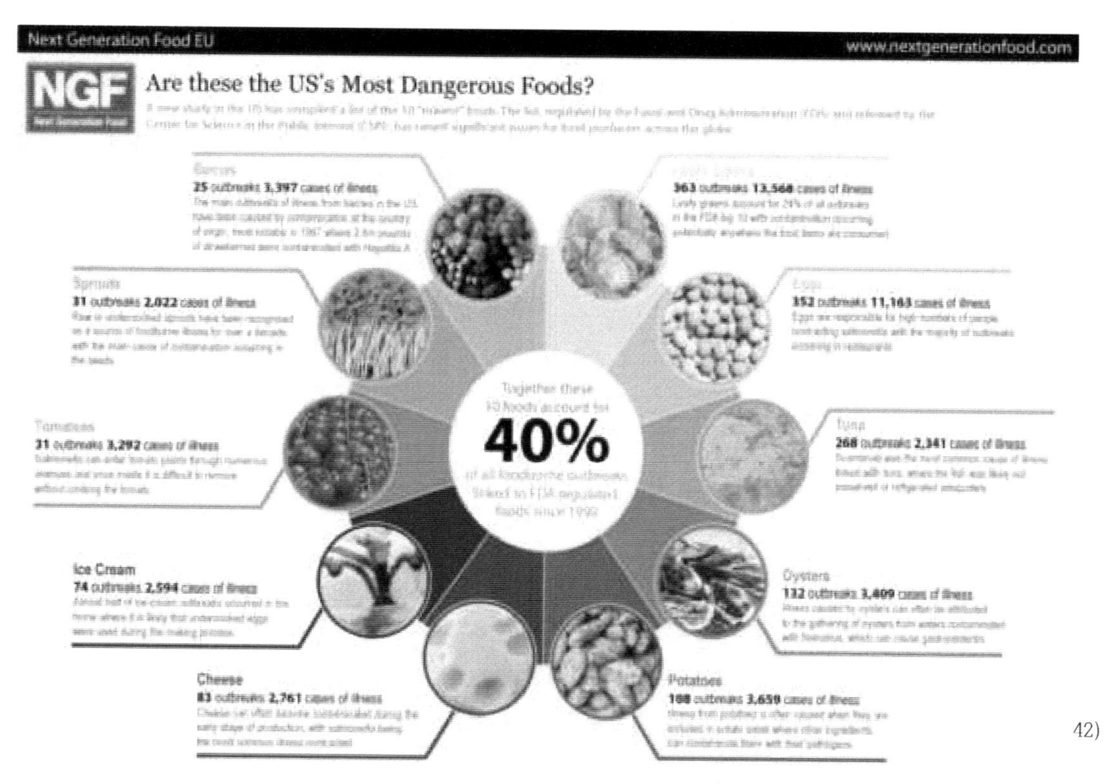

[42]

그림 15 미국에서 가장 빈번하게 질병을 불러일으킨 식품

결국 채식이 무조건 좋다는 것은 과장이다. 영양은 적당한 양을 먹어야 좋은 것이지 출처에 따라 질이 달라지지는 않는다. 공장식 농장에서 물건 찍듯 '만들어 내는' 육류와 실상을 알면 충격적이겠지만 영양과는 무관하다.

교과서적인 말이지만 필수 영양소가 골고루 포함된 균형 잡힌 식단이 건강에 가장 좋다. 위에 '건강상의 동기'에서도 서술되어 있다시피 특히 자라나는 어린이에게는 매우 중요하다. 임산부와 병에 걸린 사람도 해당된다. 정상적인 신체발달과 회복을 이루기 위해서는 육류의 섭취가 꼭 필요하다. 채식만으로는 이러한 식단을 꾸미기가 쉽지 않다. 필수 영양소를 알약으로 대체하는 것은 한계가 있고 효과가 동일하지도 않다.

또한 채식 위주 식습관은 비만을 없애고 몸을 날씬하게 만든다고 생각하기 쉽지만 이것도 사실이 아니다. 식물의 주 영양소인 탄수화물은 소화흡수률이 매우 높고 몸에 쉽게 축적된다.[13] 육류의 주 영양소인 단백질은 몸에 쉽게 축적되지 않는다. 채식 식단에서 단백질만 얻기란 쉽지 않으므로 같은 양을 먹어도 탄수화물을 더 섭취하게 되며, 잉여 탄수화물은 지방

42) 자료: 미국 공익과학센터(CSPI)

형태로 몸에 쌓인다. 다만 이런 주장은 채식의 문제가 아닌 설탕, 백미등 정제된 탄수화물 위주의 잘못된 편식이 원인일수 있다. 현대인이 살이 찌는 가장 큰 이유는 탄수화물의 과다 때문이지 육류 섭취 때문인 건 아니다.

이러한 저지방 고탄수화물 식단은 살뿐만 아니라 건강에도 위협을 줄 수 있는데, 곡물에 기초한 식단에는 전분과 당이 너무 많이 들어 있어 장에 과부하가 걸린다. 이로 인해 염증 반응이 일어나고 미처 소화되지 못한 음식을 내려 보내는 악순환을 시작하게 되는데, 이 과정에서 렉틴 같은 물질이 혈액으로 흘러들어 간다. 이 렉틴은 위산에도, 소화 효소에도 분해되지 않는 식물성 단백질로, 이를 흡수한 체내의 면역 체계를 혼란시켜 우리 몸의 중요한 부분을 아군이 아니라 적군이라고 지목하게 만든다. 이로 인해 몸이 스스로를 공격하면서 크론병, 궤양성 대장염, 류머티즘성 관절염, 강직성 척추염, 전신성 홍반성 루푸스, 건선, 제1형 당뇨병, 사구체 신염, 다발성 경화증과 같은 자가 면역 질환의 위험이 증가한다. 갑상선염에서부터 피부 발진, 천식 등의 다른 질병을 앓을 가능성도 높아진다.

곡물과 채소 위주의 탄수화물 식단이 인체에 끼치는 영향은 두루 알려진 대로다. 곡물과 당을 소화하는 과정에서 높아진 인슐린으로 인해 발병하는 심장병, 고혈압, 당뇨병은 이미 서구 사회의 '죽음의 사자'로 통용된다. 일부에서는 "복합 탄수화물은 좋고 단순 당은 나쁘다."라고들 하지만, "탄수화물에는 좋은 것과 나쁜 것이 있는 것이 아니라, 겨우 참을 만한 정도의 탄수화물과 끔찍한 탄수화물이 있을 뿐"이다. 복합이든 단순이든 모든 탄수화물은 당이다.[43)]

물론 채식은 '선택'이다. 사람은 담배를 피우지 않을 권리가 있듯, 고기·생선·계란을 먹지 않을 권리가 있다. 윤리적, 종교적, 영양적 이유로 채식을 선택한다고 해서 누구도 비난할 수 없다. 그러나 여전히 영양적으로도 채식은 논쟁 중이다. 영양과잉시대에, 우리는 너무 많은 고기를 섭취하고 있다. 그렇다고 육식을 완전히 끊는다면, 영양 불균형이 올 수 있다.

동물을 먹는다는 것이 좋은 일인지, 채식이 지구 환경에 얼마나 큰 도움을 주는지 성찰해 보는 것은 매우 좋은 자세다. 인간과 지구상 모든 생명과 평화롭게 공존할 방법을 고민하는 것은 좋다. 하지만 건강을 위해서 채식을 고집하는 것은 별로 좋은 방법이 아니다. 채식에 빠져들어 육식의 나쁜 장면만 연상하면 육식은 물컹한 살덩어리에 이상한 냄새가 나는 아주 고약한 물건이 되고 만다. 점점 먹기 싫은 음식이 되어 버린다.

현실적으로 육식을 완전히 끊는 것이 불가능하다면, 고기를 지금보다 적게 먹는 것이 필요하다. 돼지고기, 소고기, 닭고기 등이 비만의 주범으로 몰려 사람들의 곱지 않은 시선을 받고 있지만, 이 역시 편견일 수 있다. 육식도 각종 채소를 곁들여먹는다면 균형적으로 먹을 수 있다. 육식과 채식을 골고루 섞어 먹는다면 건강한 식단을 만들 수 있다. 무엇이든 만능주의에 지나치게 빠지는 것은 경계해야 한다.

---

43) healthdayvews, 박미진, "채식의 배신-불편해도 알아야 할 채식주의의 두 얼굴", 2013.03.07

03. 채식주의 시장

III. 채식주의 시장

최근 웰빙이나 건강, 다이어트 등을 위한 채식은 물론 동물 및 환경보호의 포괄적 의미로 채식을 선택하는 사람이 늘고 있다. 이처럼 낯설었던 채식주의자들이 늘어나면서 최근 채식관련 시장도 함께 성장하고 있다. 실제로 한국채식연합의 따르면 국내 채식인구는 약 100~150만명으로 전체 인구의 2% 수준이다. 또한 3년 새 채식관련식품 판매량은 50% 가까이 늘어났으며 채식주의자 전문 식당도 300곳에 달한다.

식 식당·베이커리뿐만 아니라 관련 식품도 늘어나는 추세다. 채소와 경제를 조합한 '베지노믹스(vegenomics·채식경제)'라는 신조어까지 생겨났다. 전문가들은 채식시장이 앞으로 더 커질 것으로 전망하고 있다. 건강을 중시하는 웰빙 열풍의 영향으로 채식을 선호하는 이들이 많아졌기 때문이다. 홍성란 채소소믈리에는 "최근 채소를 많이 먹을 수 있는 식단에 관심을 갖는 사람들이 많아졌다"면서 "꼭 채식주의자가 되려는 게 아니라 건강을 위해 채식 비중을 늘리는 것 같다"고 말했다.[44]

그러나 과거 한국 사회에서 채식주의자에 대한 시선은 곱지 않았다. 채식주의자에게는 항상 '까다롭다'거나 '특이하다'는 꼬리표가 붙었다. 당연히 채식주의자들이 먹을 만한 음식도, 갈 만한 곳도 매우 제한적이었다. 우유나 달걀도 먹지 않는 완전 채식주의자를 뜻하는 '비건(vegan)'에게는 더더욱 쉽지 않은 환경이었다. 하지만 지금의 분위기는 많이 다르다. 먹는 것은 물론 입는 것이나 쓰는 물건에서도 비건 라이프를 지향하는 사람들이 늘어나면서 비건은 가장 '힙'한 라이프스타일로 떠올랐다. 동물성 원료를 사용하지 않은 비건푸드가 '미래식량'으로 대접받으면서 스타트업부터 대기업까지 식물성 마요네즈나 우유·베이커리 등을 개발하는 사례도 늘어나고 있다.[45]

관련업계에 따르면 세계채식연맹(IVU)이 집계하는 세계 채식 인구는 1억8000만명에 달한다. 이 중 동물성 음식을 전혀 먹지 않는 완전 채식주의자 비건은 약 30%에 이른다. 국내 채식주의자 규모는 전체 인구의 약 2%, 대략 100만~150만명으로 추정된다. 채식주의자는 채소와 과일만을 섭취하는 비건(vegan), 떨어진 열매만 먹는 프루테리언(fruitarian), 달걀은 먹는 오보(ovo), 유제품을 먹는 락토(lacto), 해산물까지 먹는 페스코(pesco) 등으로 세분화된다.

환경도 살리며 건강한 식습관도 형성할 수 있는 채식이 주목받고 있는데, 실제로 최근 건강, 외모 관리와 더불어 동물 및 환경보호 등의 다양한 이유로 채식을 선택하는 사람들이 늘면서 채식주의를 위한 채식 시장도 함께 커지고 있다. 실제로 최근 미국의 시장조사 기관 민텔은 올해 식품시장 트렌드로 '채식주의자 확대'를 꼽으며 전 세계 채식시장의 확대와 해당 산업의 성장을 전망했다.

채식하는 사람들이 점차적으로 늘어나면서 '베지노믹스(vegenomics·채소경제학)'란 말도 생겼다. 베지노믹스는 채소(vegetable)와 경제(economics)를 합성한 신조어로 채식과 관련한 경

44) 농민신문, 윤슬기, "채식이 좋아요, 쑥쑥 크는 배지노 믹스", 2017.06.21
45) 서울경제, 박윤선, "한국에 부는 비건 열풍, 산업이 된 비건", 2018.04.21

제활동을 통틀어 이르는 단어다. 채식뿐만 아니라 식물성 원료만을 이용한 화장품, 의류 등의 산업도 포함된다. 동물로부터 나오는 제품이나 서비스를 아예 소비하지 않는 생활은''비거니즘(veganisme)'이라고 불린다.

그림 16 채식주의 유형
46)

채식은 세계 식품시장에서도 새로운 블루오션으로 떠오르고 있는데 2016년 기준 시장규모가 74억 달러, 약 8조 4100억 원으로 추정될 정도이다. 대한무역투자진흥공사-코트라는 커져가는 해외 채식시장을 공략하려면 관련 인증 획득이 필수라고 조언하면서 코트라 함부르크 무역관 관계자는 "일본 기업들은 독일 및 유럽시장으로 진출할 때 판매 전략의 일환으로 제품에 철저한 영어표기와 함께 채식 인증마크를 부착해야한다면서 브랜드 인지도가 상대적으로 낮은 우리 업체들도 수출을 늘리려면 채식 인증을 반드시 획득해야한다고" 강조하였다.

대부분의 국내 식품기업들은 수출 제품에 별도의 채식 인증 대신 '채식', '식물성' 등을 식품명이나 홍보문구에 넣어 채식식품임을 알리고 있다. 할랄식품이 채식과 연관된다고 인식하는 기업들은 할랄 인증만 받기도 한다. 47)

46) 자료: 서울경제
47) 네이버 포스트, 농민신문, "채식의 매력 속으로 '베지노믹스'가 뜬다", 2017.06.22

1. 국내 시장

최근 국내에서도 채식을 선택하는 사람들이 늘고 있다. 한국채식연합의 따르면 국내 채식인구는 약 100~150만명으로 전체 인구의 2% 수준이며 플렉시테리언 같은 채식주의자까지 포함하면 국내 채식인구는 약 1000만명에 이를 것으로 내다보고 있다. 이와 함께 채식관련식품 판매량은 지난 2014년부터 50% 가까이 꾸준히 늘어나고 있다.

플렉시테리안은 채소 위주의 식단을 기본으로 하되, 상황에 따라 육류도 섭취하는 사람을 뜻한다. 플렉시테리안이 증가하면서 채식식품도 인기를 모으고 있는데, 특히 콩이나 버섯으로 만든 유사고기는 탕수육·콩까스·햄버거 등 다양한 형태로 즐길 수 있어 구매 만족도가 높은 편이다. 온라인 쇼핑몰 11번가에 따르면 2015년 채식 콩고기 매출은 전년보다 210% 증가했으며 2016년에도 전년 대비 57%나 늘었다. 일반인이 간편하게 즐길 수 있는 채식라면과 식물성조미료의 매출 또한 두 자릿수 증가세를 보였다.

지난해 살충제 계란, E형 간염 소시지 등 먹거리 안전과 관련한 이슈가 불거지면서 비건푸드에 대한 관심은 폭발적으로 확산되고 있다. 채식을 실천하는 연예인들의 일상이 방영되기도 하면서 비건은 트렌디하고 힙한 라이프스타일이라는 이미지까지 얻었다. 이러한 바람을 타고 채식의 불모지와도 같던 우리나라에도 관련 산업이 기지개를 켜고 있다. 한국채식연합에 따르면 지난해 국내에서 운영 중인 채식 전용 레스토랑 및 베이커리는 300여곳으로 5년 전보다 2배 이상 늘었다. 푸드테크 스타트업들은 식물성 우유냐 계란을 개발하고 있고 대기업들도 비건푸드 제품 출시를 시작했다.

식품업계 관계자는 "채식주의자가 급증하면서 관련 시장도 급성장 추세"라며 "베지노믹스는 관련 업계도 눈여겨보고 있는 시장으로 부상하고 있다"고 말했다. 국내에서 접할 수 있는 대체 육류로는 콩으로 만든 햄버거·소시지·핫도그·탕수육·치킨, 현미로 만든 돈가스 등이 있다. 이밖에도 채식 관련 식품으로는 채소와 식물성 원료로 만든 라면·만두·초콜릿, 버터나 달걀을 쓰지 않은 빵·케이크, 두유로 만든 아이스크림, 코코넛유를 사용한 치즈, 식물성 인공 달걀 파우더로 만든 마요네즈 등 매우 다양하다.

채식주의를 위한 맛집도 생겨나고 있다. 또한 학교나 기업의 구내식당에서도 채식메뉴를 선보이며 채식주의자들을 응원하고 있다. 이태원에서 비건버거로 유명한 '하거스'는 고기 대신 현미쌀과 렌틸콩으로 만든 패티로 만든 허거스 비건버거, 바질페스토아보카도 버거, 치즈버거, 비비큐버거 등의 버거전문 식당으로 이외에도 콩불고기, 콩 치킨, 샐러드, 아몬드 밀크 등 다양한 메뉴가 있다. 무엇보다 이곳은 매월 수익의 10%를 동물보호단체에 기부하고 있어 작은 골목에 자리했는데도 불구하고 인기가 많다.

서울대학교는 학생과 임직원을 위한 채식 뷔페를 선보였다. 교내 채식동아리 콩밭의 건의로 탄생한 '감골식당'은 표고버섯탕수육, 젓갈 넣지 않은 김치, 새싹비빔밥 등의 채식메뉴를 매일 선보이고 있다. 학생기준 6000원으로 다른 학생식당 보다 가격이 높지만 하루 평균 250명 가량이 이용하고 있다. 달걀·우유·버터 없이 빵을 만드는 신촌에 '더브레드블루'는 대표적인 채식 베이커리다. 알레르기·아토피 등 각종 이유로 일반 빵을 먹을 수 없는 사람들을 위한 빵집

으로 시작한 이곳은 현재 채식주의자나 건강에 관심이 많은 소비자들의 성지로 불리며 인기를 끌고 있다.48)

그림 17 감골식당
49)

이처럼 커지는 채식시장에 발맞춰 식품업체들은 새로운 채식식품 개발에 열중하고 있다. 5월에 열린 서울국제식품산업대전에서도 식물성에 기반한 다양한 식품들이 선보였다. 잡곡처럼 쌀에 섞어 밥을 지어먹는 건채소나 채소로 만들어 체내 독소를 배출하는 데 도움을 주는 디톡스 음료, 생수처럼 마시는 쌀눈 음료 등이 시장의 주목을 받았다.

채식을 활용한 여행상품도 등장했다. 충남 홍성군농업기술센터는 군에서 생산하는 농산물을 활용한 고급 식도락 여행상품인 '홍성 고택 다이닝'에 채식주의자들을 위한 프로그램을 추가했다.

김희정 군농기센터 농촌체험팀 주무관은 "채식을 원하는 체험객들의 요구를 반영해 '비건(엄격한 채식주의자) 다이닝 프로그램'을 만들었다"면서 "고택에서 홍성의 유기농산물로 만든 식사를 즐길 수 있는 차별화된 여행상품이라 인기가 높다"고 설명했다.50)

이뿐만 아니라 지난해 서울대 액셀러레이터 프로그램 비더로켓시즌3 대상을 받으면서 사업을 시작한 '더플랜잇(ThePlantEat)'은 순식물성 대체식품을 개발하는 푸드 스타트업으로 주목받고 있다. 더플랜잇의 첫 제품은 계란을 사용하지 않은 마요네즈. 현재는 온라인을 통해서만 판매하지만 최근 이마트에서도 제품을 입점시키고 싶다는 연락을 받았다. 더플랜잇은 지난달 롯데 액셀러레이터 프로그램에 선정되기도 했다. 6개월간의 창업지원 이후에는 롯데 계열사와의 협업도 이뤄진다.

더플랜잇은 계란 없는 마요네즈에 이어 이르면 다음달 비건 샐러드드레싱을 출시하고 장기적

48) nexteconomy, 김보람, 채소의 경제학' 베지노믹스'가 뜬다. 2017,06,30
49) 자료: 농민신문
50) 농민신문, 윤슬기, "채식이 좋아요, 쑥쑥 크는 배지노 믹스", 2017.06.21

으로는 식물성 우유도 출시한다는 목표를 가졌다. 더플랜잇 관계자는 “꼭 비건이 아니더라도 아이들에게 좋은 음식을 먹이고 싶은 부모님들이 우리 제품의 주요 구매자”라며 “계란 알러지나 유당 불내증 등 건강상의 이유로 식물성 대체식품을 찾는 사람 또한 늘고 있다”고 설명했다.

51)

그림 18 더 플랜잇 상품

‘청와대 조찬회의 요거트’로 이름을 알린 수제 요거트 가게 ‘밀키요’도 비건요거트를 출시한다. 이탈리아에서 공수한 식물성 유산균으로 두유를 발효시켜 요거트로 만들었다. 윤용진 밀키요 대표는 “유럽이나 미국에는 마트에서도 비건용 식품을 쉽게 찾을 수 있지만 국내에서는 그렇지 않다”며 “비건 중 직접 요거트를 만들어 드시는 경우도 많지만 맛과 퀄리티를 내기가 쉽지 않다”고 출시 배경을 선명했다. 밀키요 비건 요거트는 국내 유기농식품 유통업체와 프랜차이즈는 물론 백화점에서도 입점 러브콜을 받고 있다.

52)

그림 19 밀키요 요거트

51) 자료: 구글

대기업 가운데서는 신세계푸드가 지난해 9월 계란과 우유·버터 등 동물성 재료를 전혀 사용하지 않은 '비건베이커리'를 개발해 주요 스타벅스 매장과 스무디킹 매장에서 판매하고 있다. 특히 신세계푸드는 국내 업체 중 최초로 영국채식협회(Vegetarian Society)로부터 비건베이커리 인증을 획득했다. 출시한 지 얼마 안 됐지만 고객들의 반응이 좋아 스타벅스에는 비건베이커리를 6~8개 품목 추가할 예정이며 신세계푸드가 운영하는 백화점 내 베이커리인 베키아누보·딘앤델루카 및 조선호텔 베이커리에도 비건베이커리를 판매할 계획이다. [53]

정식품에서는 2016년 4월 코코넛에 라우르산 성분을 더한 리얼코코넛 밀크를 출시, 10개월 만에 누적 판매량 400만개를 돌파하기도 했다. 농심은 2013년 3월 육류를 빼고 야채로만 맛을 낸 '야채라면'을 내놓은 바 있다. 튀기지 않은 건면으로 트랜스지방 제로를 내세워 꾸준한 판매고를 올리고 있다. 또한 이러한 농심의 "순라면"은 세계 식품시장 판매를 목적으로 할랄 인증과 영국채식협회 인증까지 획득했다. 애초에 이슬람국가들을 위해 개발한 제품이지만 채식 인증으로 채식주의자들도 즐길 수 있는 건강한 라면이라는 이미지가 형성되어 있어 영국과 독일에서 인기를 누리고 있다.

육류 소비를 줄이고 식물성 대체 식품에 대한 수요가 증가하는 것은 세계적 트렌드로 한국도 예외가 아니다. 매일유업은 지난해 4월 100% 아몬드로 만든 식물성 음료 '아몬드 브리즈'를 국내 출시했다. 시장조사업체인 '데이터모니터 컨슈머'에 따르면 우유를 대체하는 식물성 음료 시장의 규모는 2009년 51억7800만달러에서 2014년 81억5000만달러로 증가했다.

매일유업의 아몬드 브리즈 마케팅 담당자는 "아직 시장 규모는 작지만 체중 관리에 예민한 2, 30대 여성이 주 타깃으로 채식주의자들과 우유 불내증을 가진 소비자들이 많이 찾고 있다"고 전했다. 매일유업 측은 "다른 유제품 제조사와 마찬가지로 식물성 조제분유도 시장에 내놓고 있는데 실제로 분유를 소화하지 못하는 신생아들을 위한 것이지 국내에서 채식주의 부모가 이를 유아식은으로 활용하지는 않는다"고 전했다. 미국에서도 채식주의를 이유로 아기에게 콩으로 만든 유아식을 먹이는 데 대해 논란이 있다.

채식 전문 제조사는 중소업체에 국한된다. 올해 17년 된 채식 전문 제조사 베지푸드는 콩고기 수입사로 시작해 콩고기, 밀고기, 곤약 등 채식 제품을 전문으로 생산하고 있다. 관계자는 약 25%의 매출이 온라인 쇼핑몰과 소셜 커머스 사이트를 통한 직접 판매로 창출되고 급식이나 채식 식당에 납품한다고 한다. 그는 경기를 타지 않는 품목으로 꾸준히 성장해 왔지만 최근 몇 년간 정체된 경향은 있다고 전했다.

---

52) 자료: 구글

53) 서울경제, 박윤선, "한국에 부는 비건 열풍, 산업이 된 비건", 2018.04.21

2. 해외 시장

일찍이 비인도적 축산과 동물 보호가 주목받은 서구의 경우 채식주의는 이미 대중적 문화로 자리 잡았다. 아인슈타인, 스티브 잡스, 슈바이처, 간디, 레오나르도 다빈치, 리처드 기어, 데미 무어, 브래드 피트 등 많은 유명인도 채식주의자였다. '비틀즈' 멤버 폴 매카트니의 딸이자 유명 패션 디자이너인 스텔라 매카트니는 채식주의와 동물 보호를 알리기 위해 가죽이나 퍼를 쓰지 않는 것으로도 잘 알려졌다.

미국 내 채식주의자는 전체 인구의 약 3%로 1000만명에 이른다는 통계가 있다. 전문가들은 미국의 채식 인구가 최대 7%에 이를 것으로 보고 있다. 유럽의 경우 독일에는 750만명, 이탈리아는 570만명, 영국과 프랑스에 각각 360만명과 130만명의 채식주의자가 있다. 가까운 나라인 대만의 경우 종교와 광우병의 영향으로 채식 인구는 전 인구의 10% 이상에 달해 약 250만명이 넘는다. 때문에 대만에는 관련 산업이 발달해 있다.

이에 따라 전 세계적으로도 다양한 채식주의 관련 산업이 발달하고 있는데, 독일의 유명 초콜릿 회사인 리터 스포르트는 작년 9월 버터와 크림 등의 유제품을 일절 제외하고 오로지 식물성 원료로 만든 비건 초콜릿 제품을 출시했다. 완전 채식주의자 비건이 선호하는 100% 식물성 초콜릿임에도 불구하고 50%의 코코아 함량으로 다크 초콜릿 맛을 유지해 비건 소비층에게 큰 관심을 받았다.

다음은 주요국 채식주의 규모를 보여준다. 밑 자료에 따르면 유럽 주요국 중 독일이 가장 많은 채식주의자의 규모를 형성하고 있는 것을 알 수 있다.

54)

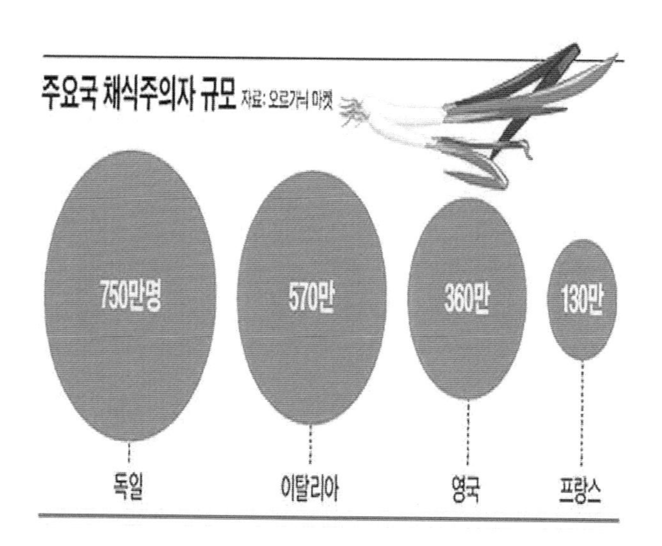

그림 20 주요국 채식주의자 규모

54) 자료: 오르가닉 마켓

다음은 국가별 인구 대비 채식 인구 비율을 보여주고 있는데, 인도와 이스라엘은 많은 인구에도 종교적인 이유로 인해 전통적으로 높은 채식주의 비율을 보여주고 있다.

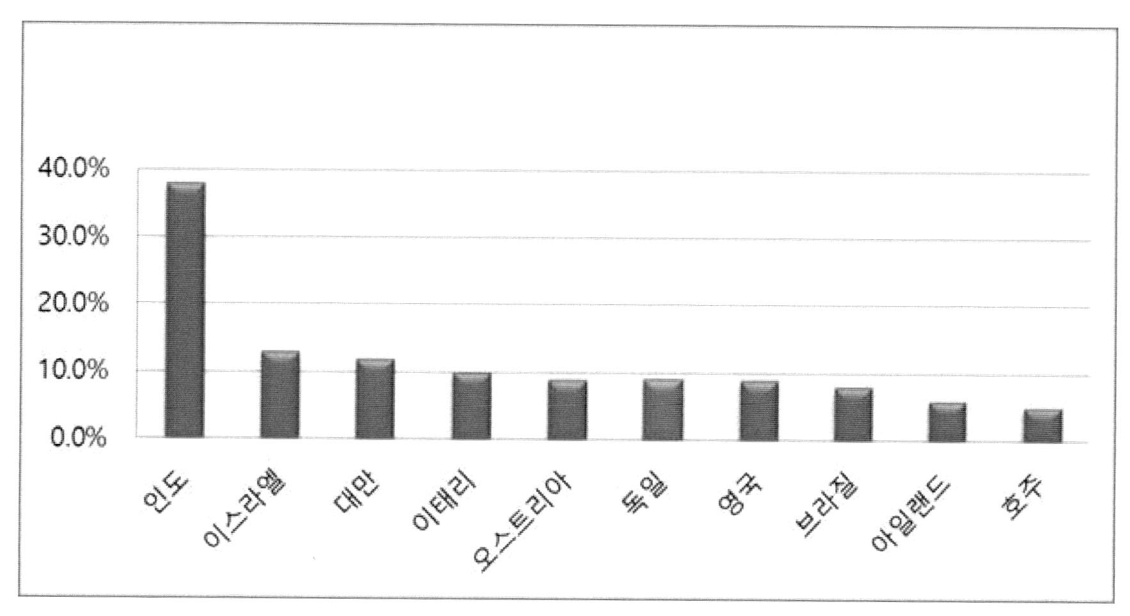

그림 21 전 세계 인구 대비 채식인구 비율
55)

다음은 유럽 국가별 인구 대비 베지테리언 비율 순위를 보여주고 있는데, 아일랜드와 이탈리아가 높은 수치를 드러내고 있다.

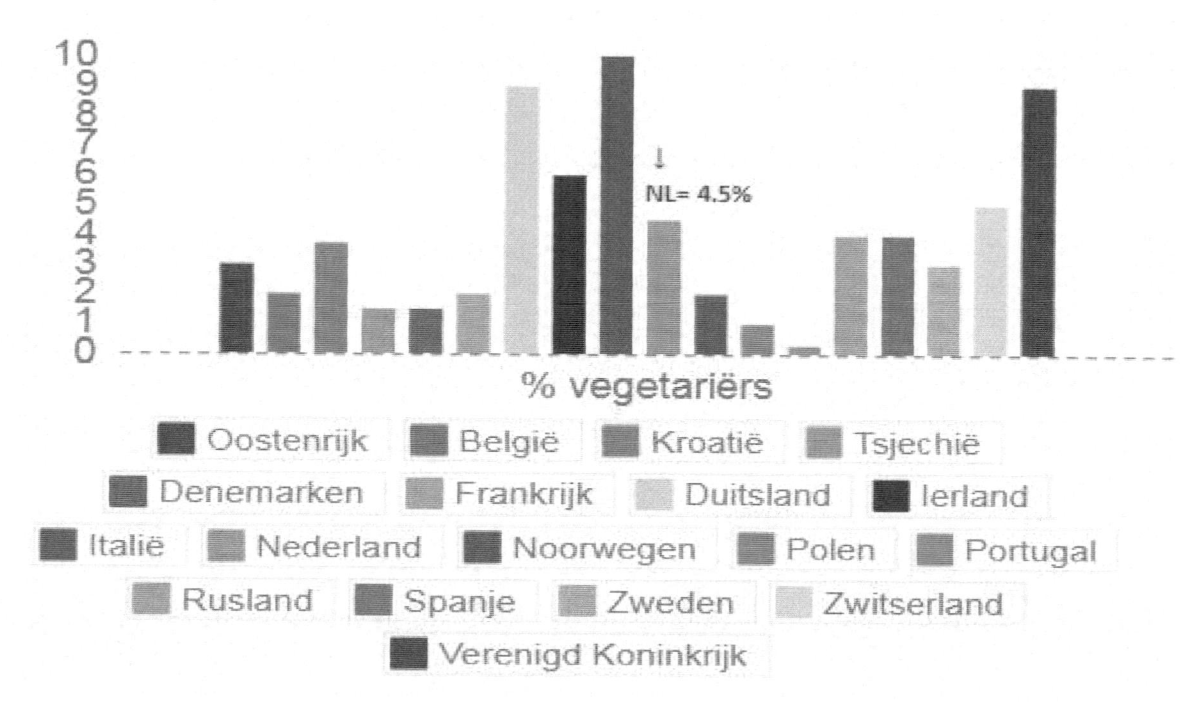

그림 22 유럽 국가별 인구 대비 베지테리언 비율 순위
56)

55) 자료: 독일 채식협회

이는 국가별 채식전문점 현황을 보여주는다 다른 나라에 비해 아직 한국과 일본의 채식전문점에 대한 인식과 현황이 낮은 편인 것으로 확인된다.

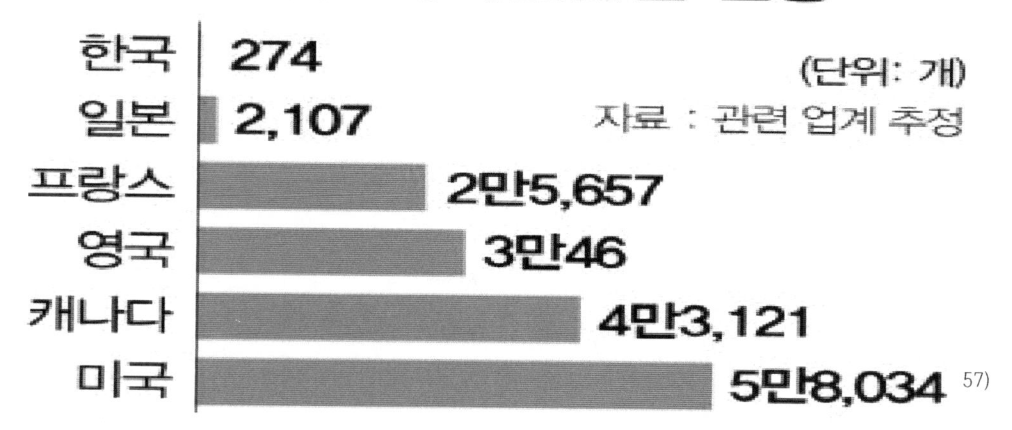

[57]

그림 23 국가별 채식전문점 현황

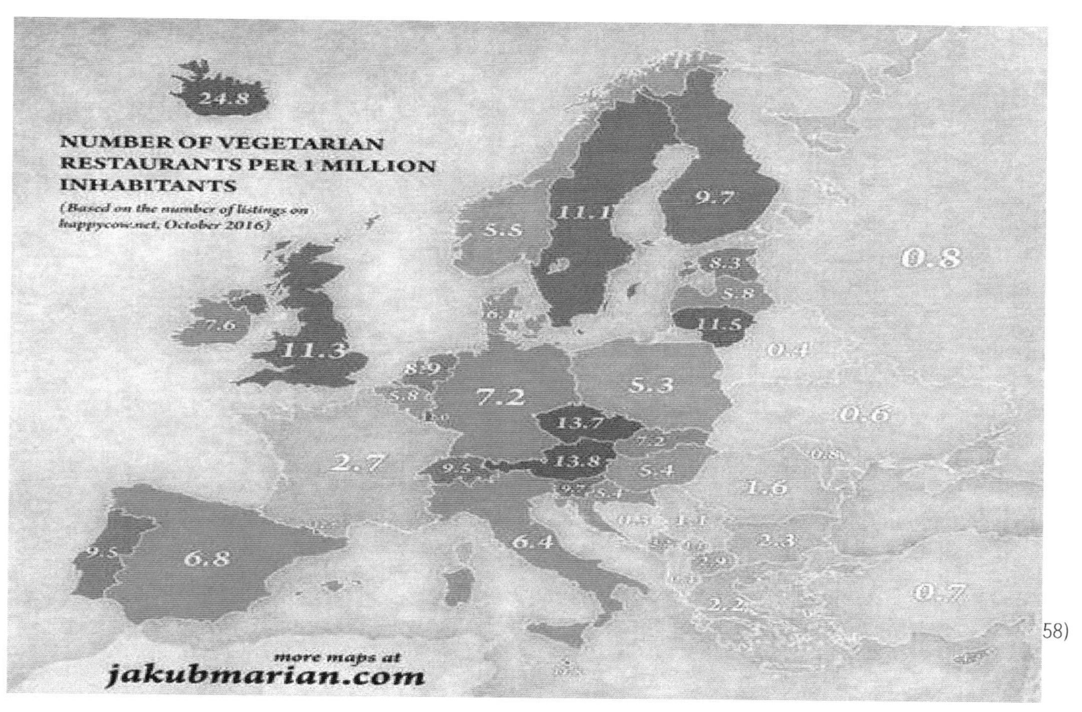

[58]

그림 24 유럽 국가별 인구 100만 명 대비 베지테리언 식당 비율

그러므로 이번 장에서는 각 나라별 채식주의 관련 산업들에 대한 시장 동향과 트렌드에서 대해서 좀 더 자세히 다루어 보고자 한다.

56) 자료:create.piktochart.com
57) 자료: 서울경제
58) 자료: weekend.knack.be

1) 네덜란드

환경에 대한 인식 수준의 상승으로 최근 네덜란드에도 소비 트렌드가 변화하고 있다. 육류대체식품, 곤충 스낵, 식물성 우유 등 다양한 채식상품들의 개발이 활발히 이루어지고 있다. 네덜란드 채식연합(Vegetariersbond)에 따르면, 네덜란드 전체 인구 중 베지테리언이 차지하는 비율은 약 4.5~5% 이다. 네덜란드 식품소비조사기관 RIVM의 조사에 따르면, 네덜란드 전체 인구 중 '베지테리언, 비건'으로 분류되는 소비자 그룹이 차지하는 비율은 3년간 1.1%에서 4.4%로 상승한 것이다.

2015년 네덜란드는 이탈리아, 독일, 영국, 아일랜드, 스위스의 뒤를 이어 전체 인구 대비 베지테리언 인구가 6번째로 많은 국가이다. 비건, 베지테리언 음식에 관한 정보를 제공하는 온라인 서비스업체 HappyCow에 따르면, 네덜란드 인구 100만 명당 베지테리언 식당은 약 8.9개로, 이는 유럽 평균에 해당하는 수치이다.

이와 반대로 네덜란드 연평균 1인당 육류 소비량은 지속해서 감소세를 보여주고 있다. 015년 네덜란드 연평균 1인당 고기 소비량은 75kg으로, 이는 2014년에 비해 1kg 감소한 수치임. 2016년 네덜란드 Wageningen 대학의 조사에 따르면, 2010년 이후 네덜란드 육류 소비량은 지속해서 감소하고 있다. 59)

Tabel 1 *Vleesverbruik a) per hoofd van de bevolking in Nederland, 2005-2015 (kg) b)*

	2005	2006	2007	2008	2009	2010	2011	2012	2013	2014	2015
Varkensvlees	40,2	39,5	39,3	39,5	39,9	39,9	39,6	38,8	37,9	37,3	36,6
Pluimveevlees	20,7	20,8	21,5	21,6	22,5	22,5	22,1	22,0	22,2	22,3	22,3
Rundvlees	16,4	16,5	16,4	16,3	16,0	15,9	15,3	14,9	14,5	14,2	13,9
Kalfsvlees	1,3	1,3	1,3	1,4	1,4	1,3	1,3	1,3	1,3	1,3	1,3
Schapen- en geitenvlees	1,1	1,1	1,1	1,1	1,1	1,1	1,1	1,1	1,1	1,2	1,2
Paardenvlees	0,6	0,5	0,2	0,2	0,1	0,1	0,1	0,1	0,1	0,1	0,1
Totaal	80,4	79,6	79,9	80,1	80,9	80,9	79,6	78,2	77,2	76,3	75,4

그림 25 네덜란드 연평균 1인당 육류 소비량
60)

고기의 빈 자리는 각종 '육류 대체 식품'이 파고든다. 2011~2016년 사이 네덜란드 가공육 시장은 시장 규모와 매출액이 전반적으로 감소했지만, 이 기간 육류 대체식품 시장은 매출액이 11.2% 가량 성장했다.

---

59) Kotra, 이소정 "쑥쑥 자라는 네덜란드 채식시장", 2017.11.23
60) 자료: depot.wur.nl

2016년 네덜란드의 한 비영리단체가 조사한 결과를 보면 네덜란드 전체 인구의 86%는 '플렉시테리언'이다. 가급적 채식을 지향하고 때에 따라서만 육류와 생선을 섭취하는 채식의 한 형태다. 이런 사람들이 늘어나면 육류대체식품 소비는 더 늘어날 것으로 기대된다.61)

Euromonitor에 따르면, 네덜란드는 영국, 독일과 함께 유럽 채식 시장 TOP5 국가 중 하나임. 최근 지속 가능한 환경, 동물 복지, 건강에 대한 관심이 증가함에 따라 네덜란드 소비자들은 점차 채식을 선택하고 있으며, 네덜란드 정부 산하 조사기관 RIVM의 과학자들은 소비자들에게 동물 단백질 섭취량을 줄일 것을 권장했으며, 학계와 정부에서는 육류 제품에 대한 과세율을 높이자는 논의가 시작되고 있다.

016년 네덜란드 비영리단체 Nature and Environment(Natuur en Milieu)의 조사에 따르면, 네덜란드 전체 인구의 86%는 보통 채식주의 식사를 지향하고, 때에 따라서만 육류와 생선을 섭취하는 플렉시테리언(반채식주의자)임. 또한 2015년 네덜란드 채식연합(NVV)은 네덜란드 베지테리언 수는 아직 전체 인구의 1% 미만이지만 점차 증가하고 있다고 발표함. 이와 같은 베지테리언과 플렉시테리언 수의 증가는 육류대체식품 소비 증가에 영향을 주고 있다.

2011~2016년 네덜란드 가공육 시장은 전반적으로 시장 규모와 매출액이 감소했지만, 육류대체식품은 시장규모와 매출액이 상승함. 해당 기간 육류대체식품시장은 규모 측면에서 12.9%, 매출액 측면에서 11.2% 성장률을 기록을 보여주었다.

Table 3 Sales of Processed Meat and Seafood by Category: % Volume Growth 2011-2016

% volume growth	2015/16	2011-16 CAGR	2011/16 Total
Processed Meat	-0.57	-0.08	-0.38
- Shelf Stable Meat	1.40	2.09	10.88
- Chilled Processed Meat	-1.21	-0.50	-2.50
- Frozen Processed Meat	0.48	0.28	1.42
Processed Seafood	-0.07	0.12	0.60
- Shelf Stable Seafood	-1.11	-0.64	-3.18
- Chilled Processed Seafood	0.22	-0.06	-0.32
- Frozen Processed Seafood	0.93	1.08	5.52
Meat Substitutes	5.14	2.45	12.86
- Chilled Meat Substitutes	5.38	2.51	13.18
- Frozen Meat Substitutes	1.89	1.66	8.56
- Shelf Stable Meat Substitutes	-	-	-
Processed Meat and Seafood	-0.33	0.03	0.13

Source: Euromonitor International from official statistics, trade associations, trade press, company research, store checks, trade interviews, trade sources

그림 26 네덜란드 육류대체식품 시장규모 성장률

61) REALFOODS, 박준규, "채식 번지는 네덜란드...육류 대체식품, 식물성 밀크 뜬다", 2017.12.14

Table 4 Sales of Processed Meat and Seafood by Category: % Value Growth 2011-2016

% current value growth	2015/16	2011-16 CAGR	2011/16 Total
Processed Meat	-1.46	-0.94	-4.63
- Shelf Stable Meat	2.35	2.47	12.96
- Chilled Processed Meat	-1.94	-1.27	-6.20
- Frozen Processed Meat	0.62	0.16	0.78
Processed Seafood	2.13	2.91	15.44
- Shelf Stable Seafood	3.30	5.88	33.09
- Chilled Processed Seafood	1.49	0.87	4.44
- Frozen Processed Seafood	1.16	1.58	8.16
Meat Substitutes	4.66	2.15	11.20
- Chilled Meat Substitutes	4.82	2.17	11.32
- Frozen Meat Substitutes	1.90	1.75	9.06
- Shelf Stable Meat Substitutes	-	-	-
Processed Meat and Seafood	-0.78	-0.38	-1.89

Source: Euromonitor International from official statistics, trade associations, trade press, company research, store

그림 27 네덜란드 육류대체식품시장 매출 성장률

육류대체식품의 가격은 다소 하락했으며, 이는 다양한 종류의 상품이 개발돼 제품 선택지가 넓어짐에 따라 시장 내에서의 가격 경쟁이 점차 활성화되고 있기 때문으로 보인다. 010년 설립된 네덜란드의 대표적인 육류대체식품 생산업체 'The Vegetarian Butchers(De Vedetarische Slager)'는 2017년 11월 기준 현재 전 세계 14개국에 총 3000개의 매장을 두고 있으며, 'The Vegetarian Butchers'는 고품질 육류대체식품 생산, 탄소발자국 감소, 동물복지 향상을 목표로 베지테리언 버거 패티, 소시지, 미트볼, 베이컨 등 다양한 종류의 육류대체식품을 생산하고 있다.

또한 슈퍼마켓 채식 즉석식품(Ready Meal) 판매 증가하고 있는데, 즉석식품 시장 또한 육류대체식품을 바탕으로 한 즉석식품 개발에 집중하고 있으며, 다수의 대형 식품 업체 및 슈퍼마켓은 새로운 채식 브랜드 및 제품을 런칭하였다. 네덜란드 대표 슈퍼마켓 Jumbo는 채식에 대한 소비자들의 수요에 발맞추어 PB 브랜드 'Veggie Chef'를 새롭게 출시함. 해당 브랜드는 콩고기 등 육류대체식품으로 만든 21개의 베지테리언 제품과 19개의 비건 제품을 포함하고 있으며, 이로써 Jumbo는 총 86개의 채식 제품을 판매하게 되면서 Jumbo는 또한 PB 브랜드 'Veggie Monday' 또한 새롭게 출시해 소비자들이 최소 일주일에 한 번은 고기 없이 채식주의 식사를 하도록 유도하고 있다. 62)

62) Kotra, 이소정 "쑥쑥 자라는 네덜란드 채식시장", 2017.11.23

그림 28 Jumbo가 새롭게 런칭한 베지테리언 즉석식품 [63]

또한 콩고기 생산을 하면서 네덜란드 중소기업 혁신을 이루어냈으며, 이 BOON FoodConcepts라는 기업은 지속 가능한 환경 및 식습관 형성을 목표로 하는 동물 단백질을 대체할 콩의 가능성에 집중하고 다양한 실험을 진행 중이다.

이뿐만 아니라 기존에 있던 식물성 우유 제품들도 다양화되고 있는데, Euromonitor에 따르면, 유럽 전체 시장 식물성 우유의 성장으로 우유 매출은 상대적으로 감소세를 보여주고 있으며 015년 Alpro의 연간 보고서에 따르면, 네덜란드 유제품 시장 전체 매출의 3.9%는 식물성 우유가 차지함. 또한 장기적인 관점으로 볼 때 이 수치는 15~20%까지 상승할 것으로 보인다.

대표적인 제덜란드 식물성 우유기업인 Alpro는 두 가지 재료를 혼합한 새로운 맛의 제품 개발에 집중해 부가가치를 높인 제품으로 소비자들의 관심을 받고 있다. 2017~2020년 사이 우유를 대신할 식물성 우유 시장에서 두유가 9%의 성장률을 보이며 최다 소비되었다. 반면 해당 기간 아몬드, 마카다미아, 코코넛 등 견과류 및 쌀, 귀리 등 곡물 우유는 30% 이상 성장하였다.

이 밖에도 식물성 아이스크림도 출시되면서 아이스크림 생산에도 새로운 바람을 불어넣고 있다. 네덜란드 식품 기업 중 하나인 Unilever는 2016년 아이스크림, 차 등 스낵 관련 부문에서 3.5%의 성장세를 보여줬으며, 이는 새로 출시한 비건 아이스크림이 큰 영향을 끼친것으로 파악된다. 또한 nilever의 아이스크림 브랜드 Ben & Jerry's는 미국 시장을 대상으로 비건 아이스크림 라인을 새롭게 출시하면서 우유 대신 아몬드 우유를 사용해 기존 제품보다 약 80% 비싼 가격으로 판매했음에도 불구하고 꾸준한 인기를 얻어 여러 나라에도 시장을 진출할 계획을 갖고 있다.

네덜란드 식품 채식 인증과 관련해서는 위에서 언급한 Unilever는 유럽채식연합(EVU)과 파트너십을 체결하고 Unilever 500개 제품에 EVU의 채식인증마크 V-label을 부착하면서 2017년 11월 기준 현재 네덜란드에서 채식인증은 필수사항이 아니지만, 업계 내 경쟁이 심화함에

63) 자료: European Supermarket Magazine

따라 채식인증마크를 부착한 제품의 경우 소비자 신뢰도가 높아 구매율이 상승하는 효과를 누리고 있다.

64)

그림 29 채식인증 마크

유럽채식연합 채식인증마크 V-Label을 부착하기 위한 대략적인 자격 요건

· 제품은 '비건' 또는 '베지테리언' 카테고리에 포함돼야 함. 제품에 육류가 포함돼서는 안 되며, 더 나아가 '비건' 제품의 경우 제조과정에서 살아있는 동물의 노동력 또는 동물성 원료를 사용해서는 안 됨.

· 유전자조작(GMO) 제품 및 양계장에서 생산된 달걀의 경우에도 채식인증마크를 받을 수 없음.

· 제품 포장 또한 될 수 있는 대로 동물성 원료를 사용하지 않는 것을 권장함.

· 제품 생산 과정에서 동물성 원료에 의한 오염도가 0.1%(1g/kg)를 초과해서는 안 됨.

· 가공육, 생선, 달걀, 동물성 우유, 로열젤리, 동물성 왁스, 코치닐 등 동물성 식용 색소 등은 채식인증마크를 받을 수 없음.

64) 자료: v-label.eu, vegansociety.com

2) 호주

호주 또한 거대한 채식주의 시장을 형성하고 있는데, 시장 조사 회사 인 Euromonitor International 따르면, 호주 채식 식품 시장은 현재 약 1 억 3600 만달러로 2020 년까지 2 억 1,500 만 달러로 증가할 것으로 보이며 세계에서 세 번째로 빠르게 성장하는 채식 시장이라고 발표했다. 호주는 미국(17억5000만 호주달러), 독일(6억1400만 호주달러), 영국(5억700만 호주달러) 다음으로 세계에서 4번째로 큰 시장을 형성하고 있다. 65)

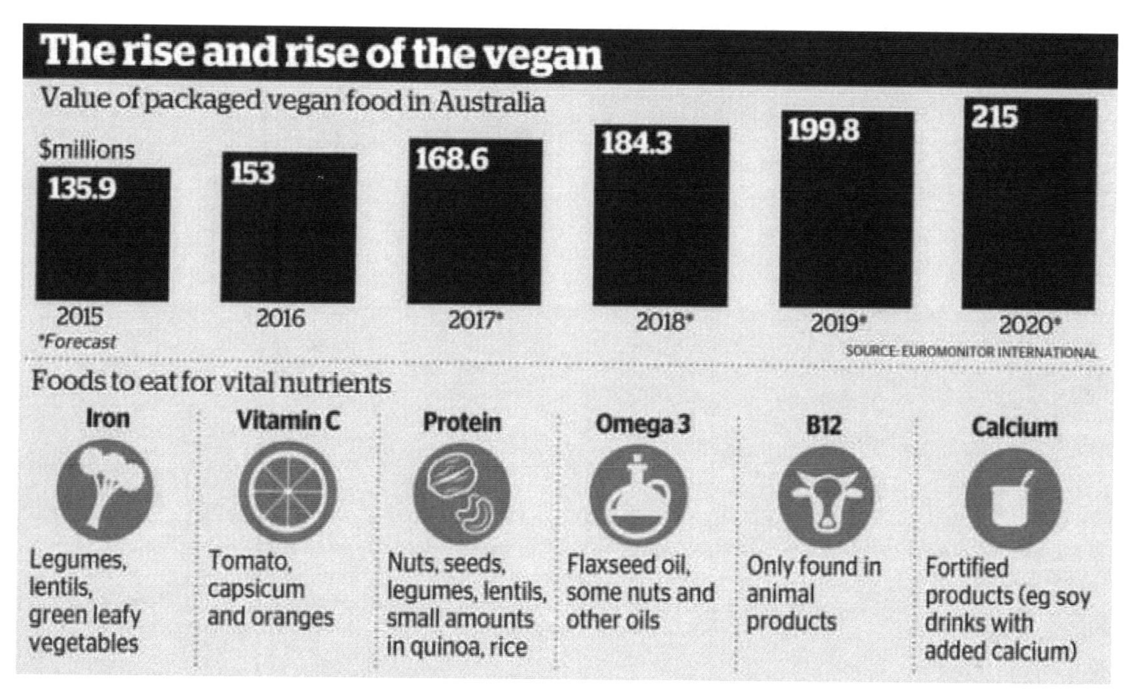

그림 30 호주 비건 시장 규모
66)

유로모니터인터내셔널의 이바 허드슨 건강 담당자는 "가능하면 동물성 재료를 기피함으로써 소비자들에게 어필하려는 회사들이 증가하고 있다"면서 "비건 단백질(vegan protein)에 대한 증가하는 수요와 추세는 현재 시장의 흐름을 말해준다"고 밝혔다.

또한 구글트렌드에 의하면, 2016년 5월까지 완전한 채식주의를 의미하는 '비건(Vegan)'을 세계에서 가장 많이 검색한 국가는 호주인 것으로 나타는데, 여기서 말하는 비건은 육류, 어류를 포함해 계란, 우유 등과 같이 동물에게서 얻어지는 모든 식품을 거부하는 엄격한 채식주의를 뜻한다.

2015년 호주 ABC 방송국 조사에 따르면 호주 인구의 10%인 약 230만 명이 채식주의자인 것으로 추정되며, 평소에는 채식 위주의 식사를 하지만 가끔 육류와 어류를 섭취하는 17%의

---

65) LIVEKINDLY, Nadia Murray-Ragg, " AUSTRALIA IS THE 3RD FASTEST GROWING VEGAN MARKET IN THE WORLD", 2018.08.23
66) 자료:Euromonitor International

플렉시테리언(Flexitarian) 인구까지 합할 경우 호주 내 채식주의자는 총 600만 명에 이를 것으로 파악된다. 호주인들이 채식을 선택하는 가장 큰 이유는 건강관리를 위해서이며, 이 외에 종교, 환경 및 동물보호 등이 있다. [67]

비건 마크 또는 비건 표시가 된 식품 중 가장 큰 부분을 차지하는 제품은 유제품류로, 해당 소비자들은 대체우유로 아몬드밀크, 소이밀크를 섭취하며 시장규모가 8370만 호주달러에 달한다. 호주연방과학산업 연구소인 CSIRO와 애들레이드 대학교의 조사 결과에 따르면, 호주인 6명 중 1명은 우유와 유제품 섭취를 건강상의 이유로 기피한다고 한다.

이처럼 유제품 스타일의 대체 식품은 호주에서 가장 큰 분야인데, 소스, 드레싱 및 조미료는 2 천 6 백 3 십만 달러, 비스킷 및 스낵바는 12.5 백만 달러, 과자류는 6 백 9 십만 달러의 시장이 형성되어있다. 또한 아침 시리얼 시장은 540 만 달러, 스프레드는 110 만 달러에 달한다.

CSIRO와 University of Adelaide의 최근 연구 결과에 따르면 호주인 6 명 중 1 명은 낙농 제품에 대해 명확한 태도를 취하고 있으며 알레르기 나 불내증이 없는 사람조차도 낙농 우유보다 식물성 우유를 선택하는 것으로 나타났다.

호주의 대형 슈퍼마켓 체인인 콜스(Coles), 울월스(Woolworthes)에서는 채식주의자를 위한 코너가 따로 마련돼 있을 정도로 큰 부분을 차지하고 있으며, 채식용 과자, 콩 소시지 및 햄버거 패티, 파스타, 코코넛 오일, 아몬드밀크, 소이치즈, 유제품이 들어가지 않은 초콜릿 등을 일반 제품과 비슷한 가격에 손쉽게 구입할 수 있다.

특별히 비건제품에는 인증 마크가 표시돼 있는 상품도 있지만, 인증이 없는 경우에도 패키지에 비건이라고 적혀있다면 소비자들이 신뢰할 수 있는데, 이는 호주 식품법에 의해 잘못된 표기를 엄격히 금지하고 있기 때문이다.

[68]

그림 31 호주 비건 마크

67) KOTRA, 강지선, "축산대국 호주, 채식주의에 빠지다!", 2016.07.05
68) 자료: Vegan Australia, Simply Better Foods, KOTRA 멜버른 무역관

호주 대부분의 레스토랑에서 채식주의자들을 위한 메뉴를 볼 수 있으며, 멜버른에 위치한 채식 전문음식점인 Vegie Bar에서는 채식주의 단계에 따른 메뉴를 제공하고 있음. 단백질 성분인 글루텐을 포함하지 않은 글루텐 프리 음식도 주문 가능하다.

소셜미디어와 인터넷 매체, 다양한 이벤트, 채식주의협회 활동 등을 통해 채식의 필요성이 일반 소비자들에게 쉽게 노출되고 관련 식품 업체들도 다양한 비건 제품을 출시하고 있어, 채식을 선택하는 인구가 점점 더 늘어날 것으로 전망되고 있으며 호주의 애들레이드 출신인 유튜버 'Freelee The Banana Girl'은 몸소 채식주의를 실천함으로써 본인이 경험한 변화와 레시피를 공유하고 채식주의를 하도록 동기를 불어넣는데 큰 역할을 하고 있다.

채식주의자들을 위한 호주의 대표적인 이벤트로는 멜버른에서 개최되는 World Vegan Day Melbourne, 시드니에서 개최되는 Vegan Festival 등은 채식을 독려하고 있다.

그림 32 2016 World Vegan Day Melbourne 포스터
69)

69) 자료: World Vegan Day Melbourne

3) 독일

독일에서 '채식'은 유행을 넘어 생활의 한 방식으로 자리 잡고 있다. 2016년 독일 채식 협회 조사 결과에 따르면 독일 채식주의자는 약 800만 명으로 전체 인구의 9% 추정되며 이 중 비건은 약 130만 명으로 파악됐다.

채식 시장은 독일 식품 시장의 가장 큰 트렌드로 특히 20~30대 여성의 비중이 높다. 지난해 독일 연방통계청 및 독일 채식 협회 발표에 따르면, 매년 평균 15% 이상 독일 채식 시장의 성장세를 나타냈다. 특히 2015년 채식 식품 시장 규모는 4억 5400만 유로(한화 약 5530억)로 전년대비 약 26% 증가했다.

연도	2015	2016	2017	2018	2019
매출액	454	489	558	625	687
증가율	25.9	29.7	33.2	37.5	42.0

표 1 독일 베지테리언 식품 예상 매출액 및 증가율 (단위: 백만유로 %) 70)

채식식품 시장은 유기농식품 산업의 한 부류로 취급됐으나, 최근 2~3년 사이 초기 진입 단계에서 성장단계로 발전했다. 유기농식품 시장 매출액은 2014년 77억 유로에서 2015년 86억 유로로 약 10% 증가한 것에 비추어 볼 때 가파른 성장률을 나타냈다.

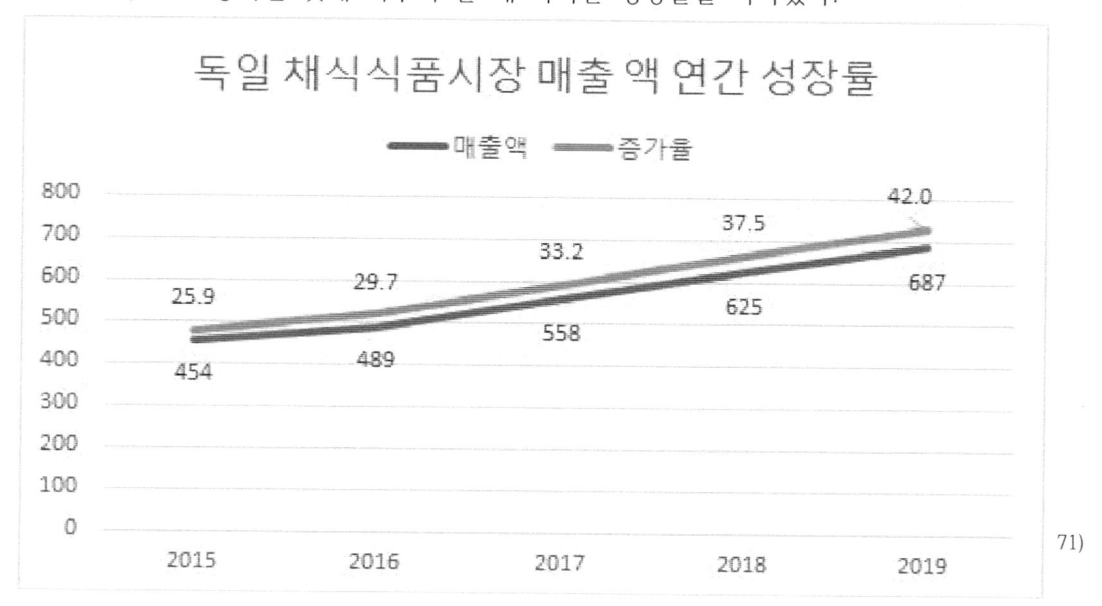

71)

그림 33 독일 채식식품시장 연간 예상 성장률 및 매출액

독일 비건 130만 명 중 80%에 해당하는 105만 명이 여성이며, 남성은 25만 명이다. 여성이

70) 자료: 독일채식협회
71) 자료: 독일 채식협회

남성보다 채식을 선호하는 것으로 나타났다. 연령대별로는 20~39세가 34%로 가장 높은 것으로 조사됐다.

채식 식품을 구매하는 경로는 슈퍼마켓(31%), 대형 마켓(17%), 유기농 슈퍼마켓(16%)순으로 나타났다. 소비자들이 채식제품 전문매장을 찾지 않아도 손쉽게 채식제품을 구할 수 있다. 채식제품은 채식주의자가 아닌 일반 소비자들도 많이 이용하고 있어서 독일에서는 채식 제품이 보편화된 것으로 분석된다.

일반 슈퍼에서도 채식주의자를 위한 스낵, 빵, 고기 대체제품 등의 채식 상품을 쉽게 구할 수 있다. 상품 라벨에 비건, 베지테리안(계란, 유제품, 꿀 포함) 등으로 표시돼 있어 채식주의자들이 일일이 성분표시를 확인하지 않아도 자신의 채식 단계에 따라 상품을 선택할 수 있는 편리한 시장구조다.

분류	육류대용물	채소페이스트	스낵/시리얼	감자스낵	간편조리식	제과류	베이킹재료	기타
개수	410	239	149	141	138	127	121	347

표 2 독일의 베지테리언 식품 출시 현황

72)

특히 빵에 발라먹는 스프레드(spread) 제품, 육류와 생선류를 대체하는 콩고기 제품에 대한 수요가 가장 큰 성장세를 나타냈다. 콩단백을 주 원료로 한 돈가스류, 소시지, 동그랑땡 등 고기와 비슷한 질감과 맛을 재현한 다양한 제형의 가공식품이 인기가 있다. 채식제품에 대한 인식이 점차 확대되면서 독일 주요 식품유통업체에서도 채식 코너를 별도로 마련, 자체 채식식품 브랜드 개발 등 전략적으로 활용하고 있다.

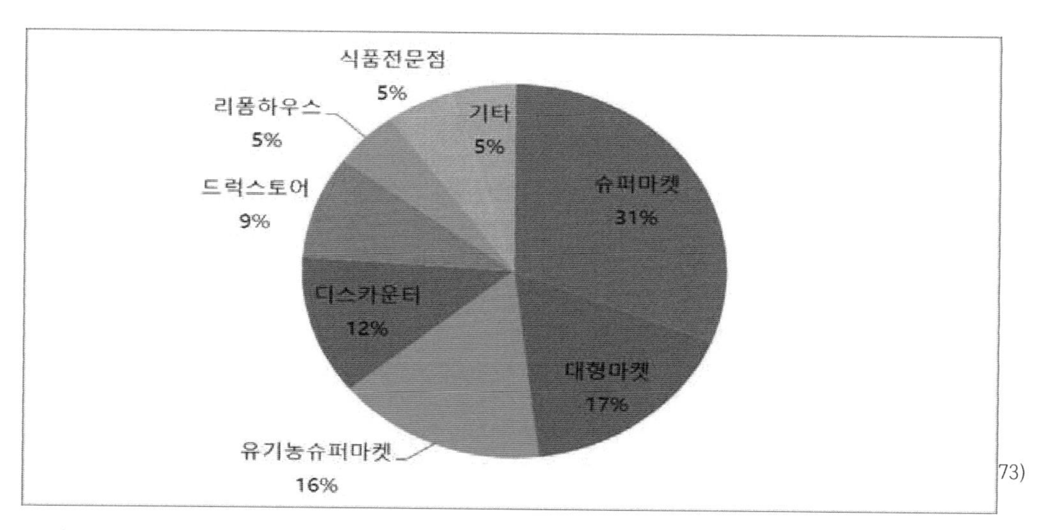

73)

그림 34 유통업체별 시장점유율

72) 자료: Statista
73) 자료 독일 채식협회 (VEBU) 2016년 기준

최근에는 REWE, EDEKA 등 슈퍼마켓 외에도 가격으로 승부하는 ALDI, LIDL을 비롯해 많은 디스카운터 마켓에서 채식식품을 취급하고 자체 브랜드 제품을 출시했다. 이들 식품유통업체는 자체 브랜드 상품으로 유기농·채식 제품은 비싸다라는 선입견을 깨고 유기농 및 채식 전문 매장제품 대비 저렴한 가격으로 공급하고 있다. 독일은 채식문화 보편화로 최근 간이 식당부터 레스토랑까지 대부분 식당에서 채식주의자를 위한 메뉴를 쉽게 접할 수 있다. 2013년 독일 대·중 도시 기준 채식 식당 수는 214개에서 2015년 296개로 증가했고 비건식당은 75개에서 122개로 3년 사이 63% 증가했다.[74]

이러한 트렌드 덕분에 2013년 영국이 40%의 점유율로 유럽 내 비건 푸드 마켓을 이끌었지만 당시 2위였던 독일(22%)의 맹추격으로 2년 만에 리더 자리를 내주게 됐다. 베를린 쉬벨바이너에는 170여 곳 이상의 비건 레스토랑, 두유를 판매하는 10여 곳 이상의 카페, 230여 곳의 비건 베이커리, 10여 곳의 비건 식료품, 화장품 숍이 즐비해 '비건 로드'로도 통한다.

비건 로드를 대표하는 매장은 '비건즈(Veganz)'다. 이미 유럽 내 10개 매장을 보유했고, 모든 제품을 '비건' 제품으로 채운 것은 이곳이 처음이다. 채식 슈퍼마켓 근처에 자리한 쌀, 두유로 만든 디저트를 판매하는 '구디즈카페(Goodiescafe)', 면, 코르크, 재활용 재료를 이용해 만든 비건 의류와 액세서리를 판매하는 '디얼굿즈(Deargoods)'도 인기다.[75]

그림 35 VEGANZ
76)

면이나 코르크, 재활용 재료를 이용해 신발과 가방을 만드는 비건 신발 숍인 아비즈(Avesu)의 관계자는 현지 언론과의 인터뷰에서 "우리는 동물에게 고통을 주지 않고 아동을 착취하지 않는 공정한 작업 환경에서 생산된 제품을 선보인다"며 "제품의 가격은 평균 100유로이며 기

74) 글로벌경제신문, 이슬기, "독일 소비자, 건강한 삶 추구…채식시장 주목하라", 2017.03.15
75) 조선일보, 시정민, "독일의 생활방식으로 자리한 '채식', '비거니즘(veganism)'", 2017.04.06
76) 자료: 구글

성 숍들보다 비싼 재료를 사용하기 때문에 가격대가 높은 편"이라고 말했다.

또한 베를린에서 시작된 비건 호텔도 성업 중이다. 이 숙박 업체들은 손님에게 고기나 생선이 없는 식사를 제공하며 채식 요리 강좌를 비롯해 명상·요가나 하이킹 등 비건들이 추구하는 건강한 프로그램을 선보이고 있다. 비건 호텔은 유럽 내에 344업체를 비롯해 전 세계 500여 곳으로 영역을 넓혔다. 몸과 마음의 쉼이 필요한 이들이 주요 타깃이다.

베를린 내의 로컬 비건들은 베를린 비건 가이드라는 모바일 애플리케이션(앱)을 이용하고 있다. 해당 앱에는 170곳 이상의 레스토랑, 두유를 판매하는 90곳 이상의 카페, 230곳의 베이커리 숍, 100곳의 비건 화장품과 식료품 숍 등에 대한 정보들이 담겨 있어 비건으로 살고자 하는 이들에게 유용한 길잡이가 돼 주고 있다.

한편 비건 라벨도 있다. '유러피언 브이-라벨(European V-Label)'은 프랑스에서 통용되는 대표적인 공식 채식주의 라벨로, 1996년 스위스에서 최초로 등록된 이후 유럽 전역에서 통용되고 있다.[77)]

전문가들은 건강과 환경에 해로운 육류 중심 식단에서 벗어나고 싶어 하는 젊은 층들의 인식 변화가 독일 내 비거니즘 열풍을 이끌고 있다고 분석한다. 예전보다 건강하고 윤리적인 식습관을 추구하려는 독일인들이 늘며 관련 상품의 소비도 증가하게 된 것이다.

채식주의 인증제도에 관해서는 국가공식인증은 없으며 독일채식협회(VEBU)를 통해 유럽채식협회(EVU)의 'V-Label' 인증취득이 가능하다. 유럽 전역에서 통용되는 V-Label은 독일 소비자가 가장 선호하는 인증제도이며 그 중에서도 비건인증과 채식인증으로 구분되며 독일에 지사가 있는 기업만 신청 가능하며 그 외 기업의 경우 유럽채식협회 본부가 위치한 스위스에서 인증을 진행 가능하다. 인증취득에 1~2개월 소요, 1년간 유효, 인증수수료는 검사비 250유로, 라이센스비 300유로가 드는 것으로 알려져 있다.

77) 글로벌경제신문, 이슬기, "독일 소비자, 건강한 삶 추구…채식시장 주목하라", 2017.03.15

4) 미국

2018년 미국 식품시장 주요 키워드는 채식이다. 밀레니엄 세대들의 환경과 자연에 대한 이해와 운동으로 채식에 대한 인식과 단백질을 보충 할 수 있는 다양한 제품들이 출시 되면서 2018년에도 미국 식품 시장의 트렌드는 채식이 지속적인 인기를 끌 것으로 내다보인다. 특히 최근 비건 식품이나 제품들이 비건이 아닌 넌비건(non-vegan) 소비자들에게까지 건강하고 윤리적이며 품질도 좋다는 인식을 사게 돼 인기를 끌고 있다. [78]

이에 대한 반증으로 영국 <파이낸셜타임스(FT)>는 지난 8월 마이크로소프트(MS)의 창립자인 빌 게이츠가 '식물성 육류(Plant-based meat)'를 사용한 채식 버거 생산 스타트업인 임파서블푸드가 진행하는 7500만 달러 규모의 펀딩에 참여했다고 보도해 화제를 모았다. 게이츠는 이에 앞서 또 다른 식물성 육류 생산업체인 비욘드미트에도 투자한 바 있다. 빌 게이츠는 "육류 대용품을 통해 놀라운 맛을 경험하고 있다. 이 맛이 미래 식량자원을 주도할 것"이라면서 투자 이유를 밝혔다.

그런가 하면 육식을 자제해 환경 개선과 기아 해결을 도모하는 움직임도 강화되고 있다. 지난 6월 12일은 미국에서 '고기 없는 날(Meat Free day)'이었으며 일주일 중 월요일 하루만이라도 육식을 하지 말자는 '고기 없는 월요일(Meat Free Monday)'도 있다. 특히 LA, 워싱턴, 샌프란시스코 등 주요 도시들은 지방정부 차원에서 매주 월요일을 '고기 없는 월요일' 또는 '채소의 날(Veg Day)'로 지정하고 채식을 장려하고 있다.[79]

Euromonitor에 따르면 2016년 미국 채식식품 시장 규모는 10억5500만 달러로 전년 대비 7.4% 증가했다. 또 채식 인구는 미국 성인 인구 2억5400만 명 중 3.3%인 약 800만 명으로 추정되며, 이 중 400만 명 가량은 동물성 식품을 전혀 섭취하지 않는 '비건(Vegan)'이다. 육류 대체 단백질 원료로는 밀이 27.2%로 가장 많이 사용되고 있고 뒤를 이어 대두와 달걀이 각각 26.6%, 달걀7.1%를 차지하고 있다.

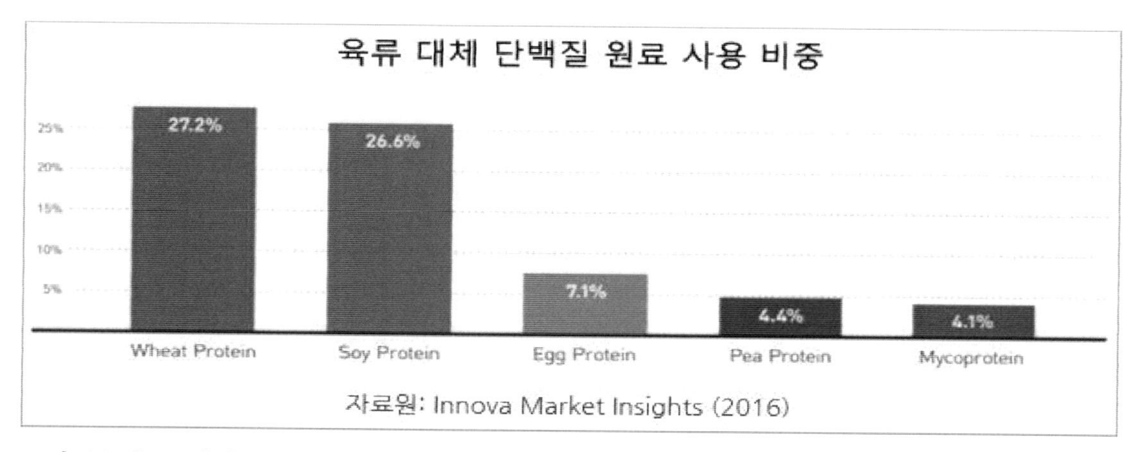

그림 36 육류 대체 단백질 원료 사용 비중
[80]

78) 시애틀 코리안 위클리, " 2018년 미국 식품 트랜드, 채식주의 식품 인기 지속 전망", 2018.03.12
79) 한국 무역신문, "커지는 미국 채식식품 시장을 잡아라", 2017.10.26

또한, 2016년 미국 비(非)육류제품* 시장은 10억 5,450만 달러(한화 약 1조 1,773억원)에 달하고 있다.

연도	2017	2018	2019	2020	2021
시장규모	1,086	1,141	1,196	1,246	1,292

표 3 미국 비육류제품 예상 시장규모
81)

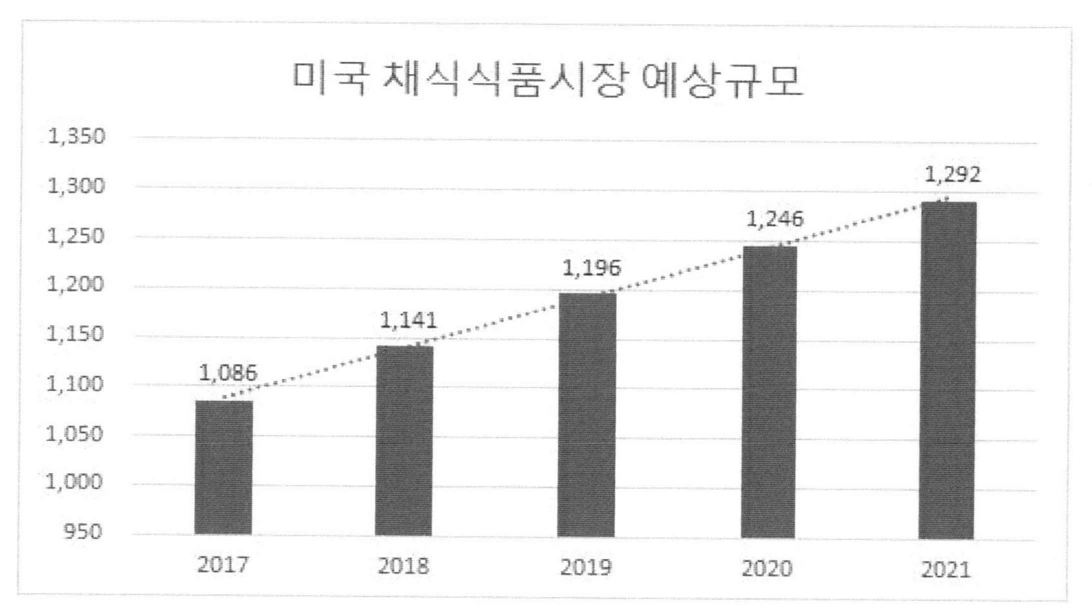

그림 37 미국 채식식품시장 예상규모

유제품 대체식품 시장의 성장도 눈여겨볼 만하다. 지난해 미국의 유제품 대체식품 시장은 9억550만 달러에 달했다. 2011~2016년 중 매년 1.3% 상승했으며 2022년까지 연간 1%의 성장이 전망되고 있다. 건강상의 이유로 유제품에서 유제품 대체식품으로 소비를 전환하는 추세가 계속되는 가운데 아몬드유(65.5%)가 시장 점유율이 가장 높고 두유(25%), 라이스밀크(5%), 코코넛유(3%)가 뒤를 이었다.

비건 소비자를 위해 신기술을 활용한 새로운 대체 유제품들도 새롭게 출시될 예정으로 필리너트, 완두콩, 바나나, 마카다미아, 피칸 등으로 만든 우유와 요거트가 개발되었고 넌 비건 소비자들도 기존 제품들과의 차이를 식별하지 못할 정도로 맛이 좋고 유제품이 함유되지 않은 브라우니, 아이스크림, 브리오슈, 크림브릴레 등도 지속적으로 출시되고 있다.

이 뿐만 아니라, 코트라 보고서에 따르면, 채식식품시장의 확대와 함께 우리 전통식품인 김의 인지도와 요구가 높아지고 있는데, 김의 경우 건강한 스낵이라는 인식이 강하며 현재 시중에 나와있는 제품의 대부분은 유기농 제품이고 현지 소매업체 바이어에 따르면 소포장 양념김

80) 자료: Innova Market Insight (2016)
81) 자료: 유로모니터

의 경우 소비자들이 간식용으로 많이 구매한다고 알려졌다. 한 소비자는 김스낵의 낯선 모습에 처음에는 거부감이 있었지만 소매업체 내의 시식 코너에서 시식을 한 후 정기적으로 구매를 하게 됐다고 밝힘. 맛과 영양 면에서 모두 만족다고 평가되어지고 있다.[82)]

미국 소매업계 관계자에 따르면 채식주의자가 아닌 이들도 가장 많이 구매하는 채식식품은 '비 유제품(Non-Dairy) 아이스크림'이다. 두유나 라이스밀크 등을 원료로 한 아이스크림을 구매하는 미국 소비자들은 가격보다는 원료, 품질, 인증과 같은 요소를 중시하고 있다.

인증제도와 관련하여서는 국가공식인증은 없으며 미국채식협회(AVA) 인증과 비건액션(Vegan Action) 인증이 보편화되어 있는 것이 특징이며 AVA 인증은 재료에 따라 비건(vegan)인증과 채식(vegetarian)인증으로 구분되며, 발급에 5~7일 소요되고 인증수수료는 250달러이다. Vegan Action 인증은 미국, 캐나다, 호주기업만 취득 가능*하며 완전채식제품에 대해서만 인증 발급. 인증발급에 수 주가 소요되고 발급된 인증은 12개월간 유효하며 매년 갱신해야 하며 인증수수료는 기업규모에 따라 다르게 책정(최소 150 ~ 최대 3,000달러)된다.

이처럼 많은 국가들이 채식주의 산업에 많은 투자를 하고 있는 것을 알 수 있다. 다음 장에서는 이러한 채식주의자 산업에서 가장 촉망받고 있는 식물성 고기 산업에 대해서 알아보고자 한다.

82) Kotra, 이성은, "美, 커지는 채식식품시장을 잡아라", 2017.08.21

3. 식물성고기 산업

이러한 추세에 힘입어 이와 관련된 산업들이 성장하고 있는데, 그와 대표적인 산업이 식물성 고기 시장이다. 이는 고기에 육감을 느끼게 하지만 그 재료는 식물로부터 얻어 만든 식품을 말한다. 세계적으로 채식인구는 2억 명에 육박한다. 그 분포는 영국 15퍼센트, 미국 3퍼센트, 인도 30퍼센트, 대만 30퍼센트, 호주 5퍼센트, 유럽은 10퍼센트 정도로 추산되며, 한국에서는 1퍼센트, 50만 명 정도로 추산된다. 채식을 하는 이유는 건강, 종교, 환경오염에 대한 우려, 생명사랑 인식의 증가 등 여러 가지 요인에서 기인하며 그 인구도 세계적으로 점점 늘고 있는 추세이다. 광우병파동과 웰빙(well-being)열풍으로 인해 최근 식물성 고기에 대한 대중들의 관심이 높아졌다.

식물성 고기는 동물성 고기에 비해 영양학적으로 좋은 장점을 가지기도 한다. 식물성 고기의 경우 동물성 지방을 함유하고 있지 않아, 이는 콜레스테롤 섭취나 포화지방산을 섭취하지 않아 심혈관계 질환 및 생활습관병 예방에 도움이 된다. 동물성 식품에서 유래될 수 있는 질병에 대한 감염의 우려가 없으며, 동물성 고기에는 섬유질, 비타민과 미네랄이 부족하지만, 잘 만들어진 식물성 고기에는 이들이 풍부하게 들어 있다. 또한 소화 시간도 육식에 비해 짧아서 위와 장에 부담이 적다는 장점이 있다.

또한 단백질을 구성하는 아미노산은 20여 종이 있는데, 대사과정 중 합성되지 않아 식품으로 반드시 섭취해야 하는 필수아미노산은 성인의 경우, 발린, 루신,아이소루신, 메티오닌, 트레오닌, 라이신, 페닐알라닌, 트립토판의 8종이고, 어린이와 회복기의 환자는 아르지닌과 히스티딘이 추가된다. 콩고기를 만드는 주원료인 대두는 단일 식품원료로는 단백질 함량이 가장 높고, 소화 흡수율과 아미노산 조성이 뛰어나다.

육고기 대체품이 처음 나온 것은 6세기 중국에서라고 한다. 독실한 불교 신자였던 양(梁) 무제는 고기와 술을 일절 금했다. 그 전까지 고기를 먹던 사람들과 일부 승려들은 고심 끝에 대체식품을 발명했다. 그중 하나가 대두의 단백질로 만든 '콩고기'였다. '채식 혁명'의 시초였다.

기술이 발달하자 유부와 버섯으로 닭고기 맛을 내고, 연근과 밀가루로 갈비구이 맛까지 흉내 냈다. 이는 일본에 전파돼 두부를 이용한 장어구이 요리 '쇼진 우나기(精進うなぎ)'로 이어졌다. 서양에서는 2차 대전 후 유명 채식주의자들의 관심으로 주목 받기 시작했다고 알려져 있다.[83)]

최근에는 미 FDA(식품의약청), FAO(국제연합식량농업기구),WHO(세계보건기구) 등에서 채택한 단백질 소화성에 의한 아미노산가(PDCAAS, Protein Digestibility Corrected Amino Acid Score)로 식품의 아미노산 조성을 평가하는데, 대두는 그 값이 '0.92'로, 우수단백질 공급원이라고 불리는, 계란(1.0),우유(1.0), 쇠고기(0.72)에 비해 낮지 않다. 콩고기의 원료로 많이 사용되는 대두분리단백은 '1.0'으로 소화 흡수율이 아주 좋은 양질의 단백질로 여겨지고 있다.

---

83) 한국경제, 고두현, " 식물성 고기'

이에 대한 종류에는 대표적으로 콩을 이용해 만든 콩고기와 밀가루 반죽을 이용해 만든 밀고기가 있다. 콩고기의 원료로는 대두 자체, 대두 분말(콩가루), 대두단백과 탈지대두 등으로 만든 조직화 대두단백(TVP,texturized vegetable protein) 등이 있다. 주로 사용되는 농축대두단백(CSP: Concentrated Soy Protein), 대두분리단백(ISP: Isolated Soy Protein)은 대두의 단백질을 분리, 추출한 것으로, 콩고기의 원료로 쓰일 뿐 아니라 효소에 의하여 단백질을 변성시킨 후 혹은 분리대두단백 그대로 과자, 빵, 소시지 등에 첨가하여 단백질 강화원료로도 많이 쓰인다.

밀고기는 밀가루 반죽을 찬물에 넣고 계속 주무르면 전분질은 물에 용해되어 빠져나가 고 점액질의 글루텐만 남게 되는데, 이것을 뭉쳐 밀고기를 만들 수 있다. 글루텐은 밀, 보리 등에 함유되어 있는 불용성 단백질로 몇 가지 단백질이 혼합되어 조성된다. 점성과 탄성이 있어 다른 식물성 고기보다 씹는 감이 좋으며 조직감이 강하다는 특징이 있다.84)

제품명	주원료	특성	용도
대두분리단백질	대두	단백질 함량 85%이상, 아이소플라본 함유, 고단백질 공급원	소시지, 치킨 가슴살 및 너겟, 식물성 슬라이스 햄 등
조직화 대두단백	대두	탈지대두 사용, 압출기로 다양한 모양으로 성형	베지버거, 미트, 소시지, 치킨너겟 햄볼 등
밀 글루텐	밀	생글루텐(활성글루텐), 분말 글루텐, 결착력이 강하여 쫄깃한 식감을 냄	밀고기, 베지버거, 미트 등에 섞어서 사용
완두단백질	완두콩	단백질 25%	대중화되어있지 않음
퀀(Quorn)	버섯(균류)	Mycoprotein, 주로 영국에서 제조됨	버거류, 소시지, 그릴 등

표 4 식물성고기 재료

85)

이러한 식물성 고기는 미래에 식품 부족을 대체할 것으로 예상되는데, 유엔 경제사회국(UN DESA)이 발표한 보고서에 따르면 2021년 기준 세계 인구는 약 79억 명이며 2030년에는 85억 명, 2050년에는 96억 명에 달할 것으로 예상하고 있다. 특히 개발도상국 인구가 크게 증가해 세계 인구 증가의 대부분을 차지할 것으로 내다봤다.

문제는 이처럼 늘어나고 있는 인구를 먹여 살릴 식량을 생산할 수 있느냐는 것이다. 스타 경

84) 자료: 위키피디아
85) 자료: 위키피디아

영자인 엘론 머스크(Elon Musk)는 새로운 종자와 비료 개발, 식량 증산을 위한 나노기술 연구, 심지어 다른 행성에서 식량을 생산하는 방안 등을 제시하고 있다.

또 다른 방안도 제시되고 있다. 구글 창업자이면서 알파벳 CEO인 에릭 슈미트(Eric Schmidt)는 지난 3월 열린 밀컨 글로벌 콘퍼런스에서 식량 문제를 해결하기 위한 식물성 육류(Plant-based meat) 개발이 시급하다고 주장했다. 실제로 실리콘밸리 등에서 많은 기업들이 이른바 '세포농사(cellular agriculture)'라고 불리는 기술을 통해 다양한 식물성 육류를 선보이고 있는 중이다.

이러한 식품 트렌드는 바이오기술의 발전과 함께 더욱 성장해 나가고 있는데, 늘어나는 육류 소비를 해결할 대체 육류는 물론 안전성 논란을 겪고 있는 유전자변형농산물(GMO)의 대안으로 꼽히는 유전자가위 등 첨단 바이오기술이 세계 식품산업의 패러다임을 바꾸고 있다.

그림 38 대체 육류시장과 푸드테크 기업 투자 규모

지난해 세계에서 주목받은 식품 기술은 식물성 고기와 배양육이다. 빌 게이츠 마이크로소프트 창업자와 리카싱 홍콩 청쿵그룹 회장, 김정주 NXC 회장 등 세계적인 거부들이 앞다퉈 대체 육류 기업에 투자하고 있을 정도로 주목받고 있다. 2011년 설립된 미국 푸드테크기업 임파서블푸드는 밀과 감자의 단백질을 이용해 2년 전 식물성 고기 생산에 성공했다. 첫 제품인 햄버거용 패티 임파서블버거는 지난해 말부터 베어버거 US푸드 등 미국 300여 개 햄버거 체인과 유명 레스토랑 등에 납품되고 있다. 올해 아시아 시장 진출을 모색하고 있는 임파서블푸드는 창업 이후 지금까지 2억5000만달러(약 2700억원)의 투자금을 유치했다. 임파서블버거는 고기 특유의 피 맛을 내기 위해 콩 뿌리에 있는 레그헤모글로빈을 이용했다. 콩의 레그헤모글로빈 유전자를 효모에 주입하고 발효시키는 바이오기술을 이용해 대량 생산에 성공했다.

국내에서는 제이영헬스케어가 다음달 소고기 돼지고기 닭고기 칠면조고기 등 네 개 제품을 출

시할 예정이다. 이 회사는 미국 콩고기 시장의 70%를 차지하고 있는 켈로그 출신 기술자들이 설립한 헤리티지헬스푸드에서 제조기술을 도입했다.

식물성 고기와 함께 주목받는 대체 육류는 배양육이다. 가축의 줄기세포를 추출한 뒤 실험실에서 배양해 식용 근섬유를 만들어내는 것이다. 지난해 3월 미국 멤피스미트가 세계 최초로 닭고기 배양에 성공했으며, 유엔 식량농업기구(FAO)에 따르면 세계 인구는 2050년 현재보다 약 20억 명 늘어난 95억 명에 달할 전망이다. 이들이 소비할 육류는 연간 소 1000억 마리로 예상된다. 이를 충당하기 위해서는 매년 2억t씩 육류 생산량이 늘어나야 한다. 현재 축산업에는 세계 토지의 50% 이상과 담수의 25%가 쓰이고 있다. 가축이 방출하는 메탄가스는 세계에서 발생하는 온실가스의 18%를 차지한다. 육류 소비 증가가 환경 파괴로 이어지고 있는 것이다. 농식품산업에 바이오기술을 접목한 그린바이오가 부각되는 이유다.

이밖에도 크리스퍼 유전자가위도 효율적인 식량 자원 확보 관점에서 부각되고 있다. 세계 1위 종자기업인 몬산토는 지난해 8월 한국 바이오벤처 툴젠으로부터 크리스퍼 유전자가위 기술의 종자 개량 관련 실시권을 도입했다. 이에 앞서 미국 브로드연구소로부터도 두 건의 유전자가위 기술을 이전받았다. 유전자가위는 동식물의 좋은 형질을 강화할 수 있기 때문에 GMO 논란을 종식시킬 대안으로 떠오르고 있다.

3차원(3D) 프린팅도 식품산업으로 영역을 확장하고 있다. 미국 모던메도 등은 배양육이나 식물성 고기의 소재화를 통해 3D 프린터로 음식을 인쇄하는 기술을 개발하고 있다.[86]

세계 주요 바이오 푸드테크

기업	국적	제품
임파서블푸드	미국	식물성 햄버거 패티
햄프턴크릭푸드	미국	식물성 달걀
무프리	미국	인공 우유
멤피스미트	미국	배양 닭·오리고기
모사미트	네덜란드	배양육
모던메도	미국	배양육을 이용한 3D프린팅 고기
인테그리컬처	일본	배양 푸아그라
제이영헬스케어	한국	식물성 소·돼지·닭·칠면조 고기

그림 39 세계 주요 바이오 푸드 테크 기업

86) 모바일 환경, 한민수, "식물성 고기·배양육·인공 우유… 바이오 기술 업고 진화하는 식품산업", 201801.03

이러한 식물성 고기 시장은 미국에서 더욱 활발히 성장하고 있는데, 바비큐 요리를 즐겨먹는 미국에서 동물성 고기 대신 외형도 식감도 고기와 흡사한 '식물성 고기'를 사용한 햄버거가 인기를 끌고 있다. 아직은 틈새 제품에 불과하지만 세계 시장 규모는 2022년까지 65억달러(약 5조7257억원)에 달할 것으로 예상된다.

식물성 원료로 만든 고기의 대체품은 옛날부터 판매되고 있었지만, 최근에는 야채 비츠를 사용하여 고기 색으로 착색하고, 카놀라 기름에 고기의 지방과 같은 촉촉한 육즙을 추가하는 등 진짜 고기와 구별할 수 없을 정도의 제품이 등장하고 있다. 이러한 '진화'는 소비자의 마음을 사로잡고 있을 뿐만 아니라 미국 최대의 육류 가공 업체 중 하나인 타이슨 푸드의 관심도 끌었다.

그림 40 비욘드미트의 ‘베지버거’
[87]

타이슨은 지난해 10월 식물성 고기 메이커 '비욘드미트'에 5%를 출자했다. 타이슨의 톰 헤이스 최고경영자(CEO)는 식물성 단백질원의 수요는 동물성 단백질원보다 약간 빠른 속도로 성장하고 있다고 말했다.

미국은 5월 초순부터 9월까지가 여름 바베큐 시즌으로, 국경일도 3일 포함되어 있어 햄버거와 갈비, 스테이크 등의 매출이 급격히 늘어난다. 그리고 최근에는 베지버거와 같은 고기를 사용하지 않은 대체 제품의 매출이 성장하고 있다.

---

87) 자료: 글로벌 이코노믹

시카고의 소비자 리서치 회사 테크노믹에 따르면, 고기의 대체 식품 업체가 대상으로 하고 있는 타깃은 18~50세의 밀레니엄 세대와 X세로 불리는 세대들이다. 이 세대의 소비자는 음식에 더욱 많은 신경을 쓰고 있으며, 선택 기준에서도 가격보다는 건강을 고려해 고가의 제품도 마다하지 않는 것으로 나타났다.

또한 조사회사 닐슨의 데이터에 따르면, 밀레니엄과 X세대는 지난해 미국에서 고기 소비에 사용된 총액의 45%를 지불한 것으로 조사됐다. 데이비드 헨케스 테크노닉 부대표는 "식물성 고기 회사는 동물성 단백질을 먹는 사람 중에서도 다음 세대를 노리고 있다. 이러한 세대가 변화를 일으키고 있다"고 지적했다. 88)

이러한 변화는 미국이 커져가는 채식식품시장에 관심을 보이고 있다는 것을 의미하는데, 2017년 8월 1일, Financial Times에 따르면 빌 게이츠가 식물성 육류(식물을 사용해 고기의 맛과 식감이 나도록 개발한 제품, Plant-based meat)를 사용한 채식버거 생산 스타트업인 '임파서블 푸드(Impossible Foods)'가 진행하는 7500만 달러 규모의 펀딩에 참여하였고. 또 다른 식물성 육류 생산업체인 '비욘드 미트(Beyond Meat)'에도 투자한 바 있다.

이러한 미국 채식 산업의 흐름은 육식을 자제해 환경개선 효과와 기아문제의 해결을 찾고자 하는 움직임을 기반으로 나타나는데, 017년 6월 12일은 세계 Meat Free day, 일주일 중 월요일은 육식하지 말자는 개념의 Meat Free Monday와 같은 움직임이 있으며, L.A., 워싱턴 D.C, 샌프란시스코 등은 시 차원에서 매주 월요일은 육식을 자제하는 "Meat Free Mondays", "Veg Day"로 지정해 채식을 장려하고 있다.

89)

그림 41 Meat Free Monday, World Meat Free Day 로고

이러한 영향에 때문인지 채식제품은 채식주의자가 아닌 일반 소비자들도 많이 구매하는 추세이다. 일반 소매업체에서도 채식주의자를 위한 제품을 쉽게 구할 수 있으며 일반적으로 육류와 생선류를 대체하는 단백질 제품이 있으며, 웅 대신 두유, 아몬드 우유의 판매되고 있다.

---

88) 글로벌이코노믹, 김길수, " 미 '식물성 고기' 인기몰이…2020년 시장규모 50억달러 전망", 2017.08.13
89) 자료: Meat Free Monday, World Meat Free Day 홈페이지

대표적으로 실리콘밸리에서는 푸드테크 기업들의 꾸준한 성장을 볼 수 있다. 임파서블푸드(Impossible Foods)의 식물성 햄버거 패티, 멤피스미트(Memphis Meats)의 인공 닭고기, 햄튼크릭(Hampton Creek)의 인공 달걀을 이용한 식물성 마요네즈 등 실리콘밸리에서 많은 먹거리 스타트업 성장 중이며, 식물성 고기(plant-based meat)와 배양육(clean meat) 등 바이오 기술의 발전으로 대체육류의 상품화 시대가 도래한다고 보며, 2050년에는 세계 인구가 100억 명으로 예상됨에 따라 육류 생산량을 매년 2억 톤씩 늘려야 하는 상황과 대량 사육에 따른 환경오염 등의 문제의식으로 대체육류 개발 필요성 대두된다고 본다. 90)

식물성 고기 시장 규모는 2026년까지 1600만달러 규모로 확대가 될 것으로 예측되는데, 미국 오리건 주 포틀랜드에 소재한 시장조사기관 얼라이드 마켓 리서치는 현재 고기의 대체 식품 시장은 2015년 대비 8.4% 증가했으며, 2026년까지 1600만달러 규모가 될 것이라고 예측했다. 또한 비욘드 미트(Beyond Meat) 외에도 식품기업 켈로그(Kellogg's) 산하의 모닝스타팜스(Morningstar Farms) 등 미국 기업이 시장을 견인하고 있다고 설명했다.

식물성 고기 제조업체는 지금까지 '고기매니아'들을 완전히 전향시키려는 것이 아니라 모두 공존하는 세계를 지향하고 있다. 켈로그는 "고기 버거를 몰아내려고 하는 것은 아니다. 그 옆에 우리의 위치를 만들고 싶을 뿐"이라고 식물성 고기 사업에 뛰어든 이유에 대해 밝혔다.

비욘드미트는 슈퍼마켓 업체인 세이프 웨이와 크로거 등과 협상해 식물성 햄버거용 패티를 진짜 고기 제품 매장에 진열해 달라고 요청하기도 했다. 공동 창업자 겸 CEO 에단 브라운(Ethan Brown)은 "쇠고기로 만든 햄버거와 식물성 버거는 아직 차이가 있지만 연구자들이 그 차이를 좁혀 가고 있다"고 말한다.

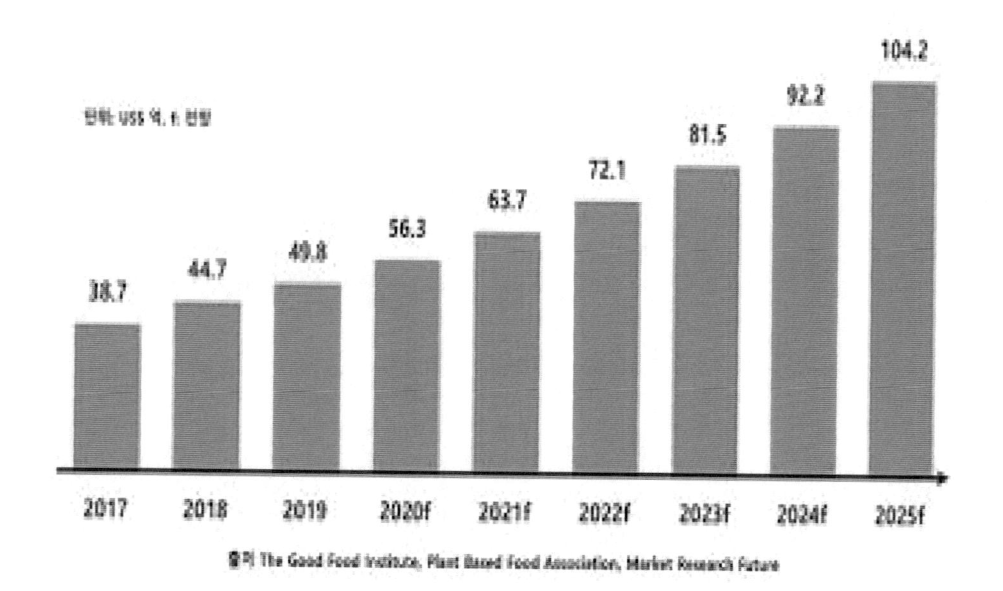

▲미국 식물기반 식품시장규모

90) 자료: KOTRA

또한 "10년 안에 시장에 유통되는 고기를 완전히 식물만으로 만들 수 있게 하는 것은 비현실적"이라고 인정하는 한편, "지금 우리가 하고 있는 연구의 장래는 매우 밝고, 향후 최고급 고기에 뒤지지 않는 식물성 고기를 만드는데 큰 걸림돌은 없을 것"이라고 강조했다.[91)]

[92)]

이러한 미국의 채식식품시장 규모는 Euromonitor에 따르면 2016년 미국 채식식품 시장 규모는 10억5500만 달러로 전년 대비 7.4% 증가하고 있으며 미국 내 채식 인구는 미국 성인 인구 2억5400만 명 중 3.3%인 약 800만 명으로 추정되며, 이 중 400만 명 가량은 동물성 식품은 전혀 섭취하지 않는 ‘비건(Vegan)’이다.

미국의 육류산업 규모와 관련하여서는 시장조사기관인 IBIS World에 따르면, 2017년 9월 기준 미국 육류시장의 매출 규모는 76억 달러 수준으로 소고기와 돼지고기는 절반에 가까운 비중을 차지하고 있다.

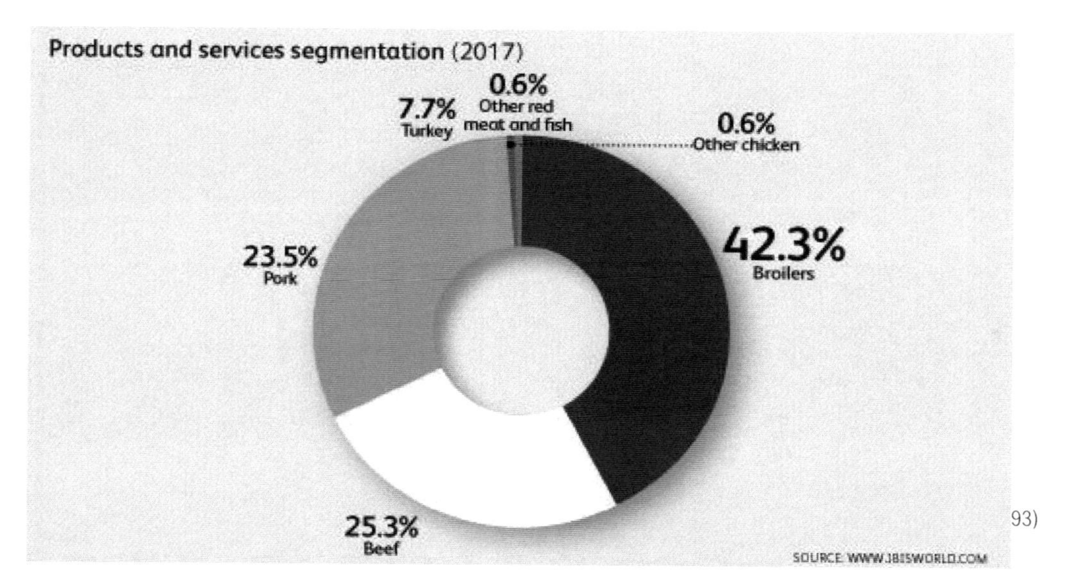

[93)]

그림 43 미국 육류시장 구성

미 농무부(US Department of Agriculture)에서 제공한 데이터에 따르면, 1년 동안 미국인 1인이 소비하는 붉은 살코기와 가금류 고기의 소비량이 경기성장으로 인한 가처분 소득의 증가 및 고단백 저탄수화물의 식이요법의 대중화로 2023년도에는 268.8파운드에 이를 것으로 예상하고 있다.

유엔식량농업기구(Food and Agriculture Organization of United Nations, FAO) 분석에 따르면 2050년에 세계 인구는 100억명에 육박할 예정이고, 중국의 소비에 힘입어 동아시아

---

91) 글로벌이코노믹, 김길수, “ 미 '식물성 고기' 인기몰이…2020년 시장규모 50억달러 전망”, 2017.08.13

92) 자료: Euromonitor (2016)

93) 자료: IBIS World

지역에서 소고기 소비가 가장 증가할 것으로 전망하고 있다. 94)

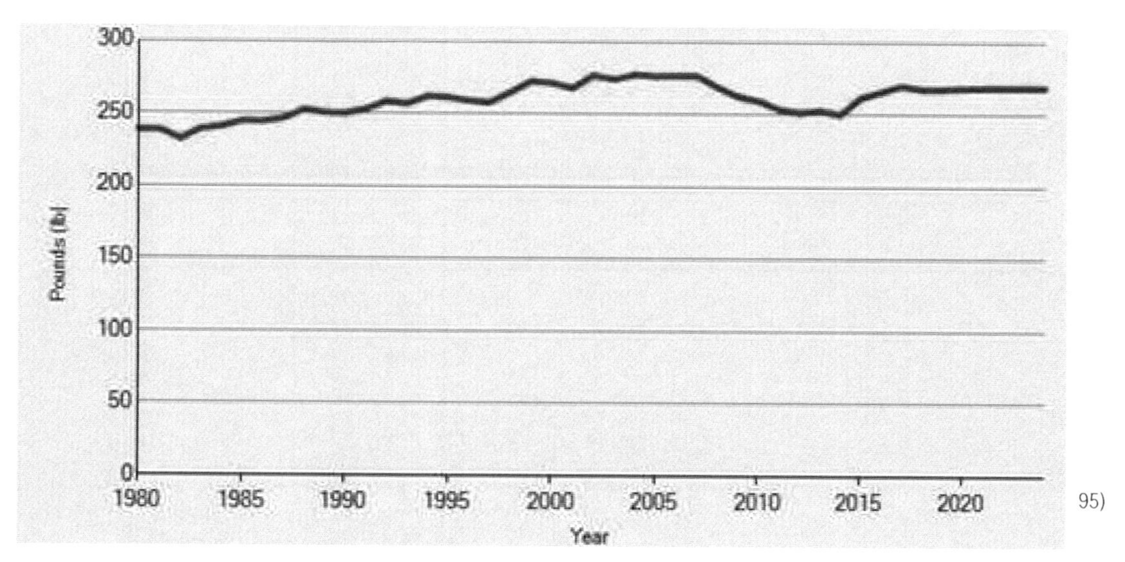

95)

그림 44 미국의 연간 1인당 고기 소비량 추이

이에 대한 육류 대체 단백질 원료로는 밀(27.2%), 대두(26.6%), 달걀(7.1%)이 많이 사용되고 있으며 이와 함께 유제품 대체식품시장도 성장하고 있다.

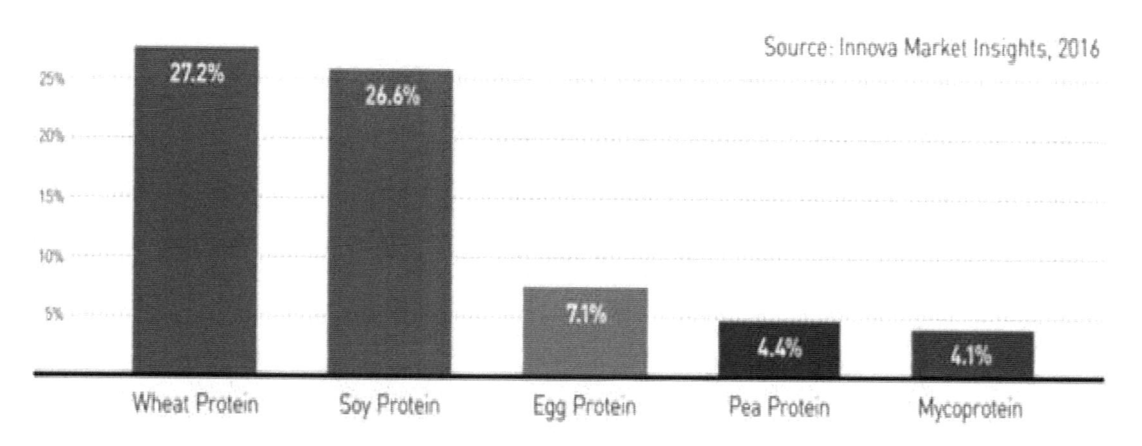

그림 45 육류 대체 단백질 원료
96)

2016년 유제품 대체식품 시장의 규모는 9억 550만 달러를 달성하였으며 2011년에서 2016년 사이 매년 1.3% 상승했으며, 2022년까지 연간 약 1.0%의 성장 전망을 보여주고 있다. 건강상의 목적으로 유제품에서 유제품 대체식품으로 소비를 전환하는 추세가 계속되고 있다. 유제품 대체식품으로는 아몬드유(65.5%)가 가장 큰 시장점유율. 그 외에 두유(25.0%), 라이스밀크(5.0%), 코코넛유(3.0%) 등의 순이다.

94) 코트라, 김경민, "실리콘밸리의 미래 먹거리, 푸드테크의 진화", 2018.04.18
95) 자료: IBIS World
96) 자료원: Innova Market Insights (2016)

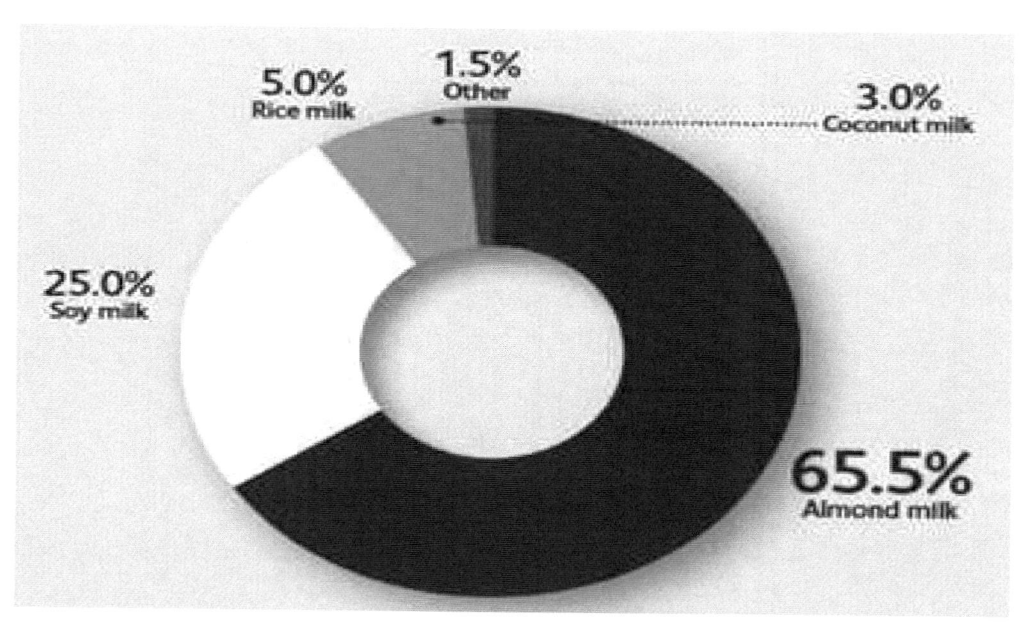

그림 46 유제품 대체 식품

이처럼 미국에서 불고 있는 식물성 고기에 대한 열풍 중 하나의 사례로써 뉴욕에서 식물성 고기 패티를 이용한 버거를 내놓고 있는 한인 셰프가 눈길을 끌고 있다. 한 기사에 따르면, 한인 스타 셰프 데이비드 장(한국 이름 장석호·39)이 27일(현지 시각) 미국 뉴욕에서 선보인 '임파서블 버거(impossible burger)'가 돌풍을 일으키고 있다고 영국 가디언 등 외신이 보도했다.

임파서블 버거는 데이비드 장이 '식물성 유사 고기'를 만드는 스타트업 '임파서블 푸드'와 손잡고 뉴욕 맨해튼 첼시에 있는 식당 '모모푸쿠 니시'에서 출시한 12달러(1만3500원)짜리 식물성 버거다. 가디언은 "'피 흘리는 채식 버거'가 뉴욕에서 새로운 음식 열풍을 일으키고 있다"며 "데이비드 장이 채식주의자만이 아니라 육식을 하는 사람도 고기 대신 먹을 수 있는 버거를 내놨다"고 전했다.

패트릭 브라운은 언론 인터뷰에서 "고기 맛의 핵심은 핏기를 띠게 하는 '헴'이라는 물질로 원래 헤모글로빈에 들어 있는 붉은 색소 분자"라며 "콩과 식물 뿌리에서 추출한 헴 복제 물질로 '식물 피'를 개발했다"고 했다. 97)
동물 애호가인 비욘드미트의 창업주 이선 브라운은 컬럼비아대를 졸업한 뒤 2009년 캘리포니아주 엘세군도에 비욘드미트를 설립했다. 이후 콩류를 비롯해 100% 식물성 원료만으로 만든 닭고기를 선보였고, '진짜 닭고기와 구분을 할 수 없을 정도'라는 소문이 퍼지면서 인기를 끌었다. 위기감을 느낀 미국 최대 육가공 회사인 타이슨푸드는 지난해 11월 이 회사 지분 5%를 인수하기도 했다.

또 다른 대체 육류 회사인 햄프턴크리크푸드는 달걀이 아닌 식물성 원료로 만든 달걀을 이용해 마요네즈를 생산했다. 10여 종의 식물에서 추출한 인공 달걀 파우더가 주재료다. 대체 육

97) 조선일보, 한경진, "[월드 톡톡] 한인 셰프의 '식물성 고기 햄버거' 뉴욕서 대박", 2016.07.29

류의 인기가 높아지고 있는 가장 큰 원인은 육류 소비의 부작용이다. 육식 위주 식단이 건강에 좋지 않다는 인식에 더해 가축이 배출하는 온실가스와 사육 과정에서 나오는 폐기물로 인한 환경 오염도 반(反)육식 정서를 부추겼다.

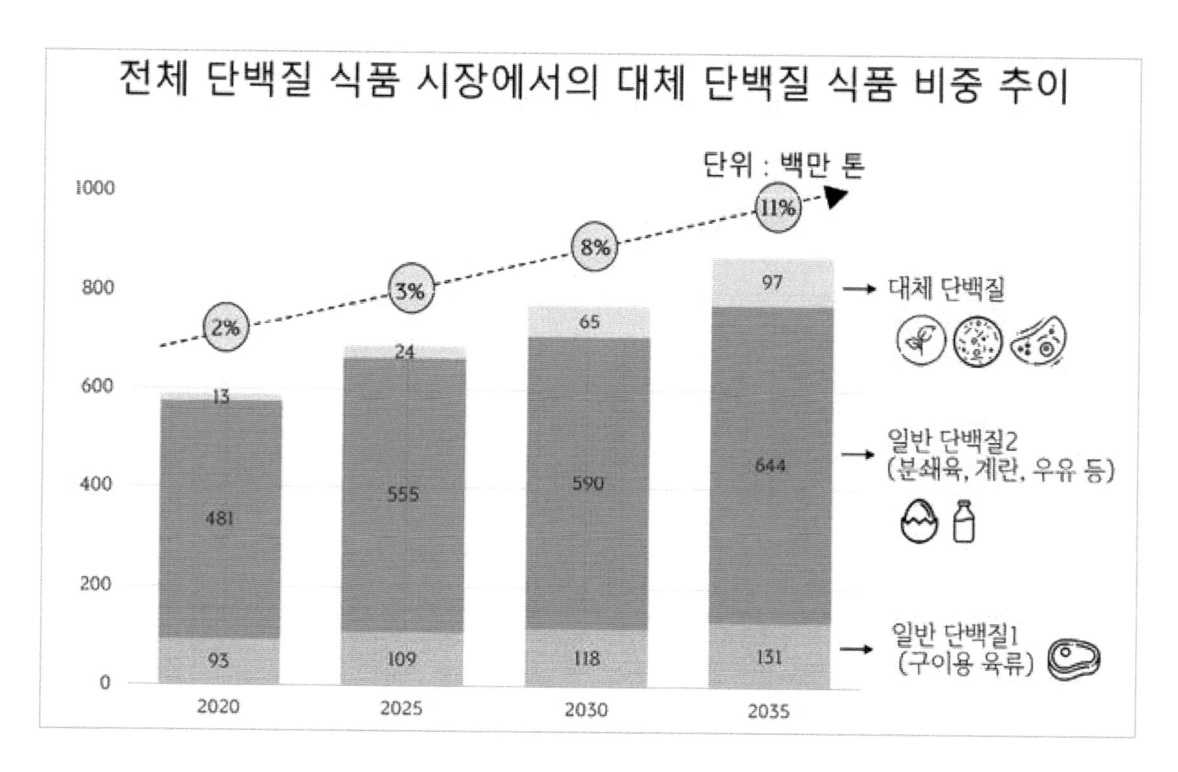

▲대체 단백질 식품 비중 추이

98)

유엔식량농업기구는 2050년 세계 인구가 100억 명에 육박할 것으로 전망한다. 이들의 육류 소비를 충당하려면 지금부터 생산량을 매년 2억t씩 늘려야 한다. 대규모 공장식 축산업이 유일한 대안이지만 전염병 확산과 살충제 사용 등 심각한 문제로 이어질 수 있다. 최근 국산 달걀에서 유독성 살충제 성분이 검출되면서 달걀은 물론 닭고기 안전에 대한 불안감도 함께 커지고 있는 것이 단적인 예다. 이에 따라 채식주의자 수가 유럽 등 선진 시장을 중심으로 빠르게 늘고 있다.

프랑스채식주의자연합(AVF) 가입자 수는 2013년 2770명에서 올해 4623명으로 3년 사이 67% 증가했다. 영국 내 15세 이상의 채식자는 2006년 15만명에서 2016년 5월 기준 54만 2000명으로 10년 새 360% 증가했다.

배양육이 사람들의 식탁에 오르기 위해서는 해결해야 할 과제가 많다. 무엇보다 인체에 해롭지 않다는 점을 입증해야 한다. 가격도 낮춰야 한다. 멤피스미트의 경우 닭고기 1파운드(453g) 생산에 연구비를 포함해 약 9000달러(약 1000만원)가 투입됐다.

배양육에 대한 반응은 대체로 긍정적이다. 호주 퀸즐랜드대학교 연구팀이 올해 4월 미국인

98) 자료: 유로모니터

673명을 대상으로 조사한 결과 응답자의 65.3%가 '배양육을 먹어볼 생각이 있다'고 했다. 업계 관계자들은 2030년쯤이면 일반 가정에서 대체 육류 요리가 일상적인 메뉴로 등장할 것으로 전망한다.

4. 관련 산업

채식주의에는 이와 관련된 산업들이 많이 성장해 있는데 그러한 산업에는 어떤 것들이 있는지에 대해서 알아보고자 한다.

1) 식물성 고기 관련 기업

식물성 고기를 사용하여 채식주의 소비자들의 눈길을 끌고 있는 기업들이 성장하고 있는데. 그러한 기업들의 대해서 알아보고자 한다.

① 임파서블푸드

미국 스탠퍼드대 생화학과 교수인 패트릭 브라운은 2011년 학교 인근에 벤처를 차렸다. 당시 그는 동물성 식품을 '세포' 단위로 분석해 고기 맛을 내는 특정 단백질과 영양성분을 식물로부터 추출해 재현하는 기술이 있었다. 산소를 전달하는 역할을 하는 헤모글로빈에 들어 있는 붉은색 성분인 '헴(Heme)'을 찾아냈는데 콩과 식물 뿌리에도 같은 성분이 존재한다는 사실을 발견한 것이다. 이러한 기술을 이용하여 밀과 감자 단백질, 코코넛 오일 및 콩의 뿌리에서 추출한 헤모글로빈인 헴(Heme)을 이용해 고기의 질감과 맛, 외관을 갖춘 햄버거 패티를 만들어내는데 성공한다. 99)

2016년 6월 한국계 셰프 데이비드 장의 미슐랭 레스토랑인 뉴욕의 Momofuku에 식물성 햄버거 패티로 만든 '임파서블버거(Impossible Burger)'를 등장시킴으로써 선풍적 인기를 일으킨 후 투자자들에게서 받은 투자금을 토대로 2017년 캘리포니아 오클랜드에 생산시설을 증축함. 현재 미국 전역의 1000개가 넘는 레스토랑에서 임파서블버거를 선보이는 중이다.
100)

패트릭 브라운은 "이것은 채식주의자를 위한 음식이 아니다. 육식을 즐기는 사람(people who love meat)들이 먹고 만족할 수 있는 음식이다"라고 설명하였고, 임파서블푸드는 전기자동차 브랜드 테슬라가 취한 전략과 유사하게 고급 고객을 겨냥해 슈퍼마켓이 아닌 레스토랑에 납품하는 브랜드 구축 전략을 세웠다. 실리콘밸리 테크회사인 N사의 카페테리아에서 버거 섹션을 담당하는 Pedro씨는 KOTRA 실리콘밸리 무역관과의 인터뷰에서 "식물성 버거인 임파서블버거를 회사 구내식당에서 취급해달라는 요구가 늘어나 일주일에 한 번 '임파서블버거 데이'를 마련하게 됐다"라고 밝혔다.101)

99) 중앙일보, 김현예, [인사이트] 채식자용 '콩고기 버거', 빌 게이츠·리카싱도 투자, 2016.12.05
100) 자료: KOTRA 실리콘밸리 무역관
101) KOTRA, 김경민, "실리콘밸리의 미래 먹거리, 푸드테크의 진화", 2018.04.18

그림 48 임파서블버거

또한 구글이 이 회사를 2억~3억 달러에 인수하려다 실패한 것으로 알려지면서 임파서블 푸드는 미래 식품회사로 시장의 관심을 모으기도 했다. 마이크로소프트(MS)를 세운 빌 게이츠와 홍콩 최고 갑부인 리카싱(李嘉誠)이 이끄는 투자사로부터 2014년 7500만 달러에 달하는 투자금을 받은 데 이어 지난해에는 넥슨의 창업주인 김정주 NXC 대표 등으로부터 1억800만 달러를 추가로 투자받기도 했다.

② 멤피스미트

2015년 300만 달러의 벤처 자금으로 샌프란시스코에서 시작된, 미네소타 대학의 심장 전문의이자 교수인 우마 발렌티(Uma Valenti) 등에 의해 만들어진 배양육 개발 스타트업 기업이다. 생명공학을 이용해 동물의 줄기세포가 근육조직으로 분화되도록 유도함으로써 전통적 축산업의 도축 없이도 배양연구실에서 고기를 생산할 수 있게 되면서 2015년 배양육으로 만든 세계 최초의 미트볼을 선보였고, 다양한 제품을 선보이기 위해 생산비용 감축 등 접근성을 높이는 노력을 하고 있다. 미국 경제지 Fortune에서 실시한 테스트에서 배양육 미트볼을 맛본 사람들은 이것이 세포에서 배양됐다는 사실을 전혀 알지 못했고, 명백하고 강렬한 고기 맛을 느꼈다고 말하는 등의 평가를 얻고 있다.

102)

③ 비욘드 미트

비욘드 미트 역시 '대체 육류' 상품으로 각광받고 있다. 어린 시절 아버지의 농장을 주말마다 찾아갔던 창업주 이선 브라운은 동물을 사랑하게 되면서 채식을 하기 시작했다. 자신이 좋아하는 동물을 위해 식물성 햄버거를 고민하게 된 그는 컬럼비아대를 졸업한 뒤 2009년 캘리포니아주에서 회사를 차렸다. 콩과 같은 100% 식물성 원료만으로 만든 닭고기를 선보였다. 2014년 홀푸드마켓이 치킨샐러드 두 종류를 리콜했는데 식물성 원료로 만든 닭고기와 진짜

102) Fortune

그림 49 멤피스미트에서 만든 미트볼

닭고기를 구분해 팔지 않았다는 이유에서였다. “진짜 닭고기와 구분이 불가능할 정도”라는 이야기가 입소문을 탔다. 지난 5월에는 구우면 고기처럼 육즙이 흘러나오는 ‘비욘드 버거’를 내놨다. 이 신제품은 출시 한 시간 만에 동이 날 정도로 인기를 끌었다. 대체 육류회사들의 등장에 위기감을 느낀 미국 최대 육가공회사인 타이슨푸드는 지난달 비욘트 미트의 지분 5%를 인수하기도 했다.103)

비욘드미트는 포화지방이 적고 콜레스테롤, 호르몬, 항생제가 들어있지 않은 식물성 햄버거 패티를 만드는데, 소고기로 만든 햄버거 패티보다 철분과 단백질이 더 많은 것으로 알려져 있다.

104)

그림 50 비욘드 미트

103) KOTRA, 김경민, "실리콘밸리의 미래 먹거리, 푸드테크의 진화“, 2018.04.18
104) 자료: Beyond Meat 홈페이지

④ 햄프턴크리푸드

햄튼크릭은 샌프란시스코에 본사를 두고 식물성 식품을 생산하는 식품 제조 스타트업으로 조슈아 테트릭(Joshua Tetrick)에 의해 2011년 12월에 설립되었으며 인공 달걀로 만든 'Just Mayo'가 가장 유명하며 이외에도 쿠키반죽, 케이크 믹스 및 드레싱을 포함한 40개가 넘는 식물성 제품을 선보였다. 대두단백으로 계란을 대체하는 기술을 바탕으로 개발된 식물성 마요네즈인 Just Mayo는 최근 기존 식물성 대체품의 시장 한계에서 벗어나 소비자들에게 맛으로도 인기를 끌고 있다. Just Mayo는 미국 고급형 유기농 슈퍼마켓 체인인 홀푸즈마켓과 창고형 할인점 코스트코, 세이프웨이, 월마트 등 메이저 유통업체에서 일반 마요네즈 제품과 나란히 진열되어 경쟁하고 있다. Just Mayo는 기존 식물성 대체 마요네즈와 달리 소비자들 사이에서 인기가 높아지고 있다.

또한 햄튼크릭은 세계의 모든 식물 단백질에 대한 정보가 담긴 오픈 소스 데이터베이스를 만들고 있으며, 2018년 말까지 배양육 판매를 위해 제품 개발에 매진하고 있다. 페이팔의 공동 창업주인 피터 틸을 비롯해 세일스포스 설립자인 마크 베니오프, 빌 게이츠 등으로부터 1억 2000만 달러를 투자받기도 했다.

이처럼 식물성 원료로 만든 육가공 대체품이 어느 수준까지 왔나 잘 보여주는 사례로 기존 유럽과 미국 시장에서는 동물성 단백을 식물성 단백으로 대체하고자 하는 움직임이 점점 커지고 있는 중이다. 이러한 경향으로 인해 미국 실리콘 밸리에서는 유명 벤처투자사들이 IT, 바이오 다음으로 농업 관련 기술이 유망하다고 하여 대체식품소재 관련 회사를 비롯한 농산업관련 회사에 투자를 검토하는 사례가 늘어나고 있다고 한다. 아직까지는 투자자들이 쉽게 투자할 수 있을 정도로 높은 평가를 받는 회사는 많지 않지만, 임파서블 푸즈 같은 기업이 하나둘 등장할 경우 대체육 시장은 식품산업의 블루오션으로 핵심에 자리 잡게 될 날이 멀지 않은 듯하다.

2) 의류시장

최근 패션에도 동물권과 윤리적인 제조를 중시하는 '입는 채식주의'가 확산되는 추세이다. 비윤리적인 방법으로 채취되는 모피에 대한 비판의 목소리가 커지면서 구찌, 베르사체, 아르마니 등 명품 기업은 최근 모피 제품 생산 중단을 선언했다. 국내 의류업체들도 천연 모피 대신 동물의 털을 사용하지 않는 인조 모피로 알려진 에코퍼(eco fur) 제품을 출시하고 있다. LF(24,450원▼ 550 -2.20%)의 여성복 브랜드 '앳코너'는 에코퍼를 활용한 무스탕을 내놓았고, 롯데백화점은 에코퍼로 만든 '롱무스탕'을 출시했다.

윤리적인 방법으로 동물의 털을 채취한 제품에 부여하는 '윤리적 다운 제품 인증(RDS)'을 받은 기업도 늘었다. 블랙야크의 경우 올해 다운 패딩 전 제품에 RDS 인증을 받았다. 네파, 코오롱스포츠 등 아웃도어 브랜드도 최근 RDS 인증을 받은 구스를 넣은 패딩을 주력 제품으로 선보였다.

다운을 대체할 인공 충전재를 사용한 제품도 등장했다. 노스페이스는 자체 개발한 인공 충전재 '티볼'을 넣은 패딩을 올해 선보였다. 이런 인공 충전재는 기존 다운 패딩과 비교해 가격도 저렴한 편이다. GS샵 관계자는 "거위나 오리 등 동물의 털을 아예 쓰지 않는 이른바 '비건 롱패딩'의 판매도 크게 늘고 있다"면서 "반려동물 인구가 1000만명을 돌파하며 소비자들의 동물윤리 의식이 높아지고, 섬유 기술의 발달로 인조 충전재도 계속 좋아지고 있어 착한 패딩의 인기는 지속될 것으로 보인다"고 말했다.105)

106)

그림 51 인조 모피 무스탕

① 프라이탁

화학적, 물리적 재처리 과정이 수반되는 리사이클링이 아닌, 폐기된 자재를 그대로 활용해 새로운 제품을 만드는 '업사이클링 소재'가 패션계에서 각광받고 있다. 화학적, 물리적 재처리 과정이 수반되는 리사이클링이 아닌, 폐기된 자재를 그대로 활용해 새로운 제품을 만드는 '업사이클링 소재'가 패션계에서 각광받고 있다.

105) 조선일보, 비즈니스, 이재은, "화장품·패딩도 '채식주의'…동물 보호하는 '착한 소비' 늘어", 2018.11.09
106) LF제공

그림 52 프라이탁 토트백

② 아디다스

아디다스는 해양 폐기물을 이용한 스포츠웨어를 출시하였다. 보디는 물론, 신발 끈, 발목을 감싸는 삭 라이너 등 디테일한 부분까지 폐기물로 만들어진 스니커즈인데, 디다스와 해양 환경 보호 단체 팔리 포 더 오션의 콜라보 제품이다. 해양 청소 과정에서 취득한 폐기물로 만든 스포츠 용품이며 이는 해양 폐기물로 고통 받고 있는 해양 생태계를 구해낼 방안이 될 것으로 예상된다.

107)

그림 53 아디다스 X 팔리 스니커즈

③ 아나나스 아남

에코 브랜드 아나나스 아남의 설립자인 카르멘 히요사는 가죽과 모피 취득에 수반되는 비윤

107) 자료: 네이버

리적인 동물 학대를 막기 위해 피나텍스라는 획기적인 대안의 소재를 개발했다. 파인애플 잎을 가공해 만들어지는 가죽으로, 일반 가죽보다 가볍고 튼튼하다는 평을 받고 있다. 피나텍스는 소재 자체로의 가치를 인정받아 세계 각지에서 도입을 추진 중이다.

108)

그림 54 아나나스 아남 제품

④ 콜롬보 노블 파이버

동물에게 피해는 주지 않는다는 점은 같지만 식물에서 그 재료를 추출하는 것과는 달리 동물들에게 소재를 빌려 쓰는 의류기업들도 생겨나고 있다. 그 중 하나가 콜롬보 노블 파이어라는 기업이다. 이 기업은 동물들로부터 털을 채취하는 게 아니라, 제공받는 형식으로 원료를 취득하는 방식을 택하고 있다. 이들이 주로 생산하는 비쿠냐 털 소재 제품의 경우 털을 물리적으로 깎거나 가죽을 벗기는 것이 아닌, 빗질을 하는 과정에서 모인 털을 사용하는데, 그마저도 비쿠냐에게 스트레스를 주지 않기 위해 2년에 한 번씩 털을 자르고 있다. 콜롬보 노블 파이버는 롯데 에비뉴엘 월드타워점, 롯데 애비뉴엘 본점, 롯데 애비뉴엘 부산본점, 신라호텔 아케이드, 대백 프라자 등 국내에서는 다섯군데 한정된 매장에서 구입할 수 있다.

⑤ 파타고니아

파타고니아는 공정 무역과 유기농 목화 사용, 낡은 옷 재사용하기 등의 지구의 환경문제에 앞장서는 브랜드로 잘알려져 있다. 게다가 2014년 가을 부터 모든 다운을 트레이서블다운으로 재조하고 있는데, 트레이서블 다운이란 살아있는 거위나 오리에게서 털을 뽑지 않고 식용으로 키우던 닭이나 거위가 폐사하게 되면서 거시서 털을 얻는 방식을 말한다. 이뿐만 아니라 소비자가 직접 충전재의 생산 이력을 확일할 수 있는 시스템을 적용해 신뢰를 쌓고 있다. 109)

---

108) 자료: 네이버
109) 자료: ALEETS

3) 화장품 시장

국내 화장품 연구개발생산(ODM) 기업 코스맥스는 지난달 아시아 최초로 프랑스 인증기관 EVE로부터 비건 생산설비 인증을 획득했다. 비건은 채소와 과일만 섭취하는 엄격한 채식주의자를 의미한다. 원래 식습관을 지칭하는 용어였지만, 최근 환경과 동물보호, 윤리적 소비에 대한 관심이 증가하면서 동물성 원료를 일체 사용하지 않는 모든 제품을 뜻하게 됐다.

[110]

그림 55 비건 화장품 생산

코스맥스는 "글로벌 화장품 시장에 비건, 할랄 등 친환경에 대한 수요가 다양해졌다"면서 비건 화장품 생산을 확대해나갈 계획이라고 밝혔다.

미국 시장조사기관 그랜드뷰리서치는 전 세계 비건 화장품 시장이 연평균 6.3% 성장해 2025년에는 208억달러(약 23조2800억원)에 이를 것으로 내다봤다. 그랜드뷰리서치는 "환경문제에 민감한 밀레니얼 세대(1980년 이후 출생)는 동물성 성분을 함유하지 않은 화장품을 선호한다"면서 "앞으로 식물과 미네랄 기반 성분으로 만들어진 화장품의 인기가 높아질 것"이라고 전망했다.

또한 아모레 퍼시픽도 이러한 흐름에 동참하고 있는데, 아모레퍼시픽의 라네즈의 '워터뱅크 에센스' 미국 인증 기관인 비건 액션(Vegan Action)으로부터 유기농 인증을 획득했으며 동물 유래 성분을 포함하지 않고, 제조 과정에서 동물 실험이 이뤄지지 않은 식물성 화장품에 부여하는 인증이다.[111]

---

110) 자료: 코스맥스
111) 조선 비즈, 이재은, "기업 화장품·패딩도 '채식주의'…동물 보호하는 '착한 소비' 늘어", 2018.11.08

미국 화장품 업체 '닥터 브로너스'의 경우 지난 18년간 별다른 광고 없이도 미국 '몸 관리'(보디 케어) 시장에서 1위 자리를 유지하고 있다. 윤리적 제조법으로 얻은 비즈왁스(천연 밀랍)를 사용한 밤(연고 스타일 화장품) 타입 외에는 동물성 원료를 사용하지 않은 대표적인 비건 브랜드라는 점이 고객 확보의 동력이 됐다고 한다. 배우 제시카 알바가 애용해 유명해진 비건 화장품 업체 '아워글래스'는 지난해 "모든 제품을 2020년까지 100% 비건으로 내놓겠다"고 밝히기도 했다. 립스틱 등 색조 화장품의 필수 원료인 구아닌은 생선 비늘에서 얻어야 하지만, 이를 식물성 원료로 교체하기 위해 투자를 아끼지 않을 것이라는 게 아워글래스 입장이다.

실제 국내 헬스&뷰티(H&B) 스토어 올리브영의 2019년 1~9월 매출을 분석한 결과, 비건 제품을 보유한 브랜드의 매출은 작년 같은 기간보다 70% 늘었다. 국내 화장품 업계 관계자는 " 국내에서는 최근 화학 물질에 대한 소비자 불안이 커지면서 천연·식물성 원료 등을 넣은 화장품을 찾는 소비자가 늘었다"고 설명했다. 신세계인터내셔날은 미국 대표 비건 색조 화장품 '아워글래스'의 국내 판권을 획득하고 올해 국내 판매를 시작했다.

112)

그림 56 닥터 브로스 의 비건 화장품

국내 화장품 업체 '이니스프리'는 최근 버려지는 커피 찌꺼기에서 커피 오일을 추출해 만든 친환경 화장품을 선보였다. 한 마케팅 담당자는 "커피 찌꺼기는 잘 안 썩기 때문에 토양을 파괴하는 주범 중 하나인데, 이런 환경 쓰레기도 줄이면서 식물성 원료로 친환경 화장품을 만들어 보자는 아이디어에서 출발했다"고 말한다.

최근의 국내 화장품 업계에 부는 '비건 바람'을 반영했다는 것이다. 이와 관련 드럭스토어 올리브영에 따르면 올해 2021년 1~8월 국내 비건 화장품의 매출액은 지난해보다 약 70% 증가했다. 올리브영 커뮤니케이션팀 안창현 과장은 "'비건'이 매출에 주요 변수로 떠오르고 있다"

112) 자료: 닥터 브로너스

며 "국내 비건 화장품 업체 '아로마티카'의 경우 지난 1년간 매출액이 100% 늘었다. 다른 비건 화장품도 비슷한 매출 성장을 보이고 있다"고 설명했다.[113]

114)

그림 57 이니스프리의 비건 화장품

4) 채식주의 식당[115]

① 남미플랜트랩

'15년 차 비건'이 운영하고 조리하는 식당답게, 피자건 파스타건 모든 메뉴가 '비건식(동물성 식품을 일절 쓰지 않음)'이다. 콜롬비아 출신 셰프 크리스티안 오비에도가 한식의 매력에 빠져 한국에 정착하기로 마음먹은 뒤, 3년의 준비 기간을 거쳐 두 달 전 문을 열었다. 남미 음식과 각국의 음식을 조합한 퓨전요리를 지향하며, 검은콩 패티를 넣어 노릇노릇하게 구운 '남미버거 칼초네(이탈리아식 만두)'와 비건식 스파게티 면과 완두콩이 어우러진 '알리오 올리오 스파게티', 비건식 수제치즈에 신선한 채소를 토핑 한 '비건 치즈 야채 피자'가 인기다.

서양요리를 그다지 좋아하지 않는 사람도, 육식주의자도 부담 없이 즐길 수 있다. 종이 빨대가 꽂혀 나오는 스무디는 물론, 메인요리와 곁들여 먹는 오이피클조차 예사롭지 않다. 비건식 수제 치즈 때문일까? 피자와 칼초네, '맨앤치즈 파스타'는 느끼하지 않으면서도 풍부한 맛을 뽐낸다. 오비에도는 "비건 치즈는 두유와 올리브오일, 오이, 레몬주스, 생이스트를 섞어서 만든다"고 말한다. 채광이 좋은 2층에 있어 쉬는 날 브런치를 즐기기에도 좋다.

---

113) 한겨레, 김포그니, " 비건 화장품, 비건 패션…'쓰는 채식'이 뜬다", 2018.10.03
114) 자료: 이니스프리
115) 한겨레, 김포그니, " 비건 화장품, 비건 패션…'쓰는 채식'이 뜬다", 2018.10.03

(서울 서초구 방배천로4안길 55 2층/02-522-1276/월요일 휴무/주요 메뉴 1만1000~1만 6000원)

그림 58 비건 치즈 야채 피자

② 더 피커

유기농 채소를 기본 재료로 삼아 비건부터 오보베지테리언(유제품을 먹는 채식주의자)까지 두루 만족시키는 메뉴를 선보인다. '베지 티엘티(TLT) 샌드위치'와 '비건 베이컨 버거'가 유명한데, 공통으로 수분을 빼서 압착한 훈제 두부가 들어간다. 촉촉한 빵 사이로 씹히는 두부의 맛이 쫄깃하고 고소하다. 코코넛워터와 과일을 갈아 넣은 스무디나 한국에선 흔치 않은 스무디 볼(떠먹는 스무디)을 곁들여 먹는 메뉴가 인기이다.

이곳은 2016년 7월 문을 열 때부터 '프리사이클링'(Precycling: 재활용될 쓰레기조차 최소화한다는 뜻)에 앞장서 온 매장이다. 식료품점을 겸하기 때문에 친환경 인증을 받은 채소와 과일, 곡류를 살 수 있다. 사과와 토마토, 현미, 귀리, 병아리콩, 퀴노아, 치아시드 등을 원하는 만큼 고른 뒤, 집에서 챙겨온 장바구니 또는 매장에서 파는 광목천 주머니에 담아가면 된다. 남은 음식의 포장을 원할 땐 흙에서 자연 분해되는 생분해 용기에 담아준다.

그림 59 더 파커 음식
116)

(서울 성동구 서울숲2길 13/ 070-4118-0710/ 15시30분~17시 휴식시간, 일요일 휴무/주요 메뉴 6000~1만2000원)

③ 오세계향

채식의 매력에 푹 빠진 이승섭 대표가 11년 전부터 운영해온 곳이다. 모든 음식이 달걀, 우유를 넣지 않은 비건식으로 조리된다. 비건식이라고 해서 나물과 쌈밥만 있을 거고 생각하면 오산. 콩비지찌개나 순두부찌재, 들깨국수처럼 채식인이 기본적으로 환영하는 메뉴부터 채식 짜장면, 채식짬뽕, 비건 돈가스, 비건 스테이크까지 다채로운 음식을 선보인다.
바삭하게 튀겨낸 느타리버섯에 달달한 소스를 끼얹은 '매실탕수채', 다양한 밑반찬과 함께 나오는 '국산 콩순두부 강된장비빔밥'을 추천한다. 매콤하고 달콤한 '표고버섯말이'는 토실토실하고 쫀득쫀득해 흡사 고기 같은 식감이다. 비계 없이 담백한 콩고기를 맛볼 수 있는 '불구이 쌈밥'과 '불구이덮밥' 역시 인기다. 요리에 쓰이는 모든 콩은 '지엠오'(GMO: 유전자 변형 생물체)검사를 거친 논지엠오(non-GMO)콩이니 안심하고 먹어도 좋다.

(서울 종로구 인사동12길 14-5/ 02-735-7171/ 평일 15시30분~17시 휴식시간/주요 메뉴 9000~1만원)

---

116) 자료: 한계려

④ 브루독

이태원에 문을 연 브루독은 맥주를 마시고 싶어하는 채식주의자들에게 인기를 끌고 있다. 비건 및 베지테리언이 즐길만한 안주가 있는 데다, 크래프트 맥주로 유명한 회사의 펍답게 맥주 종류만 30여 가지에 이른다. 밀크스타우트 계열을 제외하면 모든 맥주는 비건을 위한 것이다. 호박과 버섯, 잣 등으로 토핑 한 '더 히어로'는 비건식 피자고, 락토오보베지테리언(우유와 유제품을 먹는 채식주의자)이라면 시금치와 호두를 모차렐라치즈와 함께 올린 '화이트 트래쉬' 피자를 추천한다. '팔라펠 버거'와 '두부 버섯 핫도그', '버펄로 콜리플라워' 역시 락토오보베지테리안 메뉴다. '팔라펠 버거'는 버거용 빵을 핫도그용 빵으로 바꿔 달라고 요청하면 비건도 먹을 수 있다.

(서울 용산구 이태원로27나길 40 /02-797-1240/주요 메뉴 8000~1만5000원)

그림 60 브루독 맥주

5. 도시 농업

이러한 채식의 다양한 흐름과 함께 농촌에서 농산품들을 키우는 것이 아니라 도시의 기술과 공간을 이용하여 자신들이 농산품들을 키우려고 하는 추세가 증가하고 있다. 도시 농업의 정의를 살펴보면 도시의 다양한 공간을 활용한 농사행위로 농업이 갖는 생물 다양성 보전, 기후조절, 대기정화, 토양보전, 공동체문화, 정서함양, 여가지원, 교육, 복지 등의 다원적 가치를 도시에서 구현하며 지속 가능한 도시, 농업으로서의 기능을 수행하는 것을 말한다.

[117]

그림 61 테라스에서의 농업

이처럼 농업은 농촌과 도시가 따로 나누어 농사는 농촌에서만 짓는 것이라는 관념을 바꾼 것이다. 도시는 어떤 지역이 발달하면서 자연적으로 생긴 것이기 때문에 농촌과 도시를 따로 구분하기 어렵고, 그렇기 때문에 농업이 먼저 발달한 것은 오히려 인구가 많은 도시가 된다. 그러나 산업화가 급격히 이루어지고 개발위주로 도시가 팽창하면서 농촌은 점점 도시에서 멀어지게 된 것이다. [118]

최근 들어 법적, 제도적 뒷받침을 받아 도시 내 경작활동이 일상화되고 있는 가운데 도시농업과 관련한 사회적 기업과 협동조합이 계속 늘어나는 추세에 있다. 3차 산업인 서비스 산업이 서울 경제를 주도하는 현 시점에서 1차 산업인 농업의 의미와 가치를 새롭게 바라볼 필요가 있다. 전 세계적으로 기후변화와 에너지위기를 맞아 로컬푸드(local food)의 중요성이 강조되면서 도시농업이 서서히 주류화하고 있는 가운데 앞으로 서울시는 외국의 도시농업 선진도시처럼 먹거리 체계와 도시계획의 관점에서 도시농업에 접근해야 할 것이다. [119]

이러한 도시 농업을 통해 사람들은 직접 작물을 키워보면서 먹을거리의 대한 소중함을 알 수

---

117) 자료: 구글
118) 자료: 경기농정
119) 도시농업의 트렌드 변화와 서울시의 전략, 이창우, 2013

있는 기회를 제공받고 올바른 먹거리 교육의 장을 제공한다. 이밖에도 도시 농업은 다양한 가치들을 지니고 있다.

1) 세계 사례

최근 들어 전 세계적으로 농민시장, 공동체지원 농업, 공동체 텃밭을 비롯해 도시농업을 주제로 하는 다양한 서적이 쏟아져 나오고 있다. 미국 대통령 부인 미셸 오바마 여사가 백악관 부지에서 텃밭을 가꾼 경험을 담은 '아메리카 그로운(AmericanGrown)'이란 책이 2012년에 발간되기도 했다. 최근 발간되는 도시농업 관련 서적을 보면 먹거리와 도시의 관계에 대한 새로운 인식이 싹트고 있음을 확인할 수 있다. 이처럼 여러나라 도시 농업에 대한 관심을 갖고 있는데, 그 중에서도 미국과 캐나다의 사례를 살펴보고자 한다.

① 미국

미국 클리블랜드시는 2007년 미국 최초 도시로 텃밭을 도시계획조례상 용도지역지구로 입법화 했다. 조례에 따라 도시텃밭지구로 지정된 곳에서 공동체 텃밭이 허용되고, 허가를 받은 일부 텃밭의 경우 수확물의 판매도 가능하다. 온실, 퇴비화시설 농기구창고, 화장실, 수확물 판매대, 빗물저장시설, 울타리 ,주차시설 등도 규정에 따라 허용된다.

미국 캘리포니아주 오클랜드시는 조례를 개정하여 시청에 40달러를 내면 자신의 집 텃밭에서 수확하는 농작물의 판매를 허용했으며, 미국 밀워키시는 2010년 3월, 조례를 개정하여 주거지역에서 양봉을 허용하여 한 필지 당 벌통 2개까지 소유를 허용했다. 주민이 시청에 양봉허가를 신청하면 시는 이를 공지를 하고 14일 이내에 60m 이내에사는 이웃주민은 반대의견을 표출할 수 있다. 밀워키시 이외에도 미국의 여러 주에서 세부적인 규정들이 설정되고 있다.

또한 미국의 여러 도시들이 도시 공원내 일부 구역에서 텃밭 경작을 허용하기 시작했는데, 예를 들어 미국 새크라멘토시는 2008년에 공원 내 텃밭 조성을 확대하겠다는 계획을 발표했으며 뉴욕시의 도시텃밭 사업 발달과정을 살펴보면 어떻게 시민사회단체의 사회적 활동이 지방자치단체가 운영하는 도시텃밭의 조성으로 이어지는 지를 알 수 있다.

뉴욕의 그린 섬 프로그램은 시만사회단체가 운영하는 도시텃밭을 시정가 지원하는 유형의 전형적인 예이다. 1973년 환경단체인 그린 게릴라가 1970년대의 재정 위기 상황에서 뉴욕시에 방치된 공한지를 줄이고 정비하고자 도시텃밭운동을 시작했다. 이러한 풀뿌리 시민 운동을 계기로 뉴욕시는 도시텃밭 사업에 착수하게 되었으며, 그린 섬 프로젝트는 기존의 도시텃밭 경작자들이 사유지를 무단점유해서 하던 텃밭 경작을 계속 할 수 있도록 시에 협조를 요청하면서 시작되었다.

그린 섬 프로그램은 미국에서 가장 성공적인 시영 도시텃밭사업이다. 원래 이 사업은 뉴욕시 총무국 관할이었다가 1995년 공원 및 레크리에이션국으로 이관되었다. 그린 섬은 미국 내 최대 도시텃밭 프로그램으로 600개소의 텃밭에 약 2만 명의 경작자가 참여하고 있다. 각 도시

텃밭은 해당 텃밭 이용자 조직의 대표자가 시에서 주관하는 도시농업 워크숍에 참여해야만 예산이나 농자재 지원을 받을 수 있다. 뉴욕시 당국은 도시텃밭 이용자 조직에게 각종 행정 편의를 제공한다.

예를 들어, 청소국에 연락하여 텃밭 조성이 계획되어 있는 곳의 쓰레기를 치우게 한다든지, 텃밭 경작자에게 소화전의 물을 이용 할 수 있는 특별한 권리를 부여하고 있다. 뉴욕을 포함한 대부분의 미국 지방자치단체는 지금까지 빈 땅 에 주민들이 농사를 짓고 있으면 모른 체 하며 소극적으로 대처해왔다. 하지만 도시의 건강, 복지, 안전, 미화, 환경 문제의 해결에 시민의 참여가 중요하게 되면서 많은 지방자치단체가 행정구역 내에 도시텃밭을 조성하는 데 적극적인 태도를 보이고 있다. [120]

시애틀 도시농업은 정책적 측면에서 미국에서가장 앞서 있다. 1970년 워싱턴 대학교 여대생 달린 런드버그 델 보카(Darlyn Rundberg Del Boca)가 어린이 교육용 텃밭을 제안했으며 이 제안을 받은 이탈리아 이민자인 농부 레이니에 피카르도 (Rainie Picardo)씨가 자신의 농장 일부를 무상으로 제공하면서 시애틀의 공동체 텃밭 역사가 시작 되었다. 시애틀시는 1973년 이 토지를 매입해 공식적인 공동체 텃밭으로 관리해오고 있다.

[121]

그림 62 시애틀의 인터베이(Interbay) 공동체 텃밭

120) 도시농업의 트렌드 변화와 서울시의 전략, 이창우, 2013
121) 자료: 구글

② 캐나다

캐나다도 공동체 텃밭을 가꾸면서 도시의 먹거리 체계와 연계하며 발전 중에 있다. 밴쿠버시의 인구는 60만명이고 면적은 면적은 114.7㎢다. 2013년 현재 밴쿠버시에는 104개 공동체 텃밭에 4,000구획이 있다. 지난 4년간 2배가 증가했으며 2010년부터 2012년 사이에 700구획이 증가했다. 밴쿠버시에는 19개의 도시농장이 있는데 2010년에 9,300㎡에서 현재 33,500㎡로 증가했다.

밴쿠버시에서 토지소유자가 유휴지를 공동체 텃밭으로 임시로 제공하면 시가 재산세를 감면해준다. 농민시장의 거래 규모가 연간 1,500만 달러로 도시농업이 지역경제에 기여하고 있는 것이다. 벤쿠버시에서도 다른 도시와 마찬가지로 공동체 텃밭 대기자 문제가 심각한데, 2013년 8월 현재 대기자수가 16,000명에 이른다.

밴쿠퍼시는 2013년 먹거리 전략을 채택하여 도시 농장을 35개소로 늘리고 농민 시장을 13개 추가할 계획을 세워놓고 있다. 밴쿠버시는 2003년 밴쿠버시 먹거리 정책을 설립한후 2014년 밴쿠버 먹거리 정책협의회를 구상하고 2007년 밴쿠버 먹거리 헌장을 발표했다. 2009년에는 먹거리 체계 운영위원회를 구성하여 현재 부서 간 지원받을 두고 먹기리 전략을 체계적으로 추진하고 있다.

'2010 공공텃밭 프로젝트를 추진한 밴쿠버 먹기리 정책 협의회는 텃밭에서 직접 기른 먹을거리를 저소득층에 기부하는 프로그램도 추진했다. 밴쿠버시는 2009년 6월 시청부지에 30구회 규모의 시범텃밭을 조성했는데, 지금도 개인이나 단체가 경작하고 있다. 한편 밴쿠버시에서는 사횢거 기섭인 솔푸두가 있는데, 솔푸드는 밴쿠버 아스토리아 호텔 인군 1만 3,000㎡ 규모의 예전 주차장 부지에 상자텃밭을 설치하고, 2010년 4.5톤 2011년 13.6톤의 농산물을 생산했다. 2010년에 8~12명의 인력을 고용해 시간 당 12달러의 임금을 지불했다.

솔푸드는 밴쿠버시의 지원을 받아 폴스 크릭(False Creek) 북쪽 플레이스스타디움(Place Stadium) 근처에 있는 예전 엑스포 부지 중 8,000㎡에 40여 가지 경작물을 재배하는 상자텃밭을 설치했는데 이는 밴쿠버에서 시도된 도시농장 중 가장 큰 규모다.

그림 63 밴쿠버 플레이스 스타디움 공동체 농업

2) 도시 농업 장점

이처럼 많은 국가들에서 도시 농업을 하는데 이유가 존재한다. 이번 장에서는 도시 농업을 함으로써 얻을 수 있는 효과에 대해서 알아보고자 한다.

① 경제적인 측면

도시농업으로 가장 기대되는 경제적 효과는 도심의 열섬현상 완화와 냉,난방비 절감이다. 도심의 옥상과 건물의 벽면을 녹화할 경우 여름철 콘크리트 표면 온도를 약 50℃에서26℃까지 낮출 수 있기 때문이다. 뿐만 아니라 건물표면을 녹화할 경우 산성비, 자외선으로부터 건축물을 보호하여 건물의 수명을40년까지 연장시킬 수 있다. 도심의 자투리 땅이나 옥상 등을 녹화시키면 빗물을 흡수하는 투수면적이 넓어져 홍수방지도 가능하므로 수해로 인한 재해복구 비용을 줄일 수 있다.

작물을 직접 기른 경험자는 비경험자에 비해 우리 농산물을 더 많이 소비하게 된다고 한다. 도시인들이 농업을 직접 체험하고 자신이 기른 안전한 먹거리를 확보하는 경험은 농업의 활성화로 연결될 것이다.

도시농업은 초고령 사회의 어르신 일자리 문제에도 도움이 된다. 노령화 문제로 고심하던 일본은 주말농장 '시민농원' 프로젝트를 추진하며 정년퇴임 한 어르신을 주 생산자로 끌어들였다. 노인 일자리는 전문기술이 없어도 가능하고 육체적으로 감당할 수 있어야 하는데 도시농업이 그에 적합하기 때문이다. 2020년까지 서울시내 도시텃밭을 7,200개소로 확충시킨다는 정부의 목표가 이행될 경우, 20명 단위의 생산자조직이1개씩만 배정되어도 약1만개의 일자리가 창출된다. 도시농업을 통한 일자리 증가와 농업활동 활성화는 국가경제의 성장으로 이어질 것으로 기대된다. 122)

그림 64 실외벽면 녹화 사례
123)

122) 도시인, “도시농업의 기대효과”, 농촌진흥청, 2012.04.02

인구가 집중화된 거대 도시가 많아짐에 따라 채소류 생산 및 공급 체계를 개선해 소비지와 가까운 근거리 생산 방법을 종합적으로 경제적으로 이득을 얻을 수 있다. 접근성이 좋고 수송 비용을 절약하면서 신선한 상태로 소비자에게 신속하게 전달될 수 있는 생산 및 유통 방법은 도시농업의 활성화다. 미국도 뉴욕, 시카고, 필라델피아 등에서 도시농업이 기업적으로 적용되고 있으며 근교의 그린하우스에서 토마토, 향초 등을 대량생산해 공급하고 있다. 한국도 일부 업체나 연구기관에서 스마트 팜(smart farm)을 시도하고 있으며 이 생산 방법이 도시로 퍼져 도시농업을 선도할 수 있을 것이다.

스마트 팜은 물 소요량을 80% 이하로 감소시키면서 토지 필요 면적은 기존 대비 10% 정도에 머문다. 특히 수송비의 95%가 절감되고 모든 재배 조건을 관리해 농약을 사용할 필요가 없다. 일본도 식물공장에서 발광다이오드(LED) 조명으로 채소류를 재배하고 있으며 도쿄에는 식물공장을 건설해 매일 1만 속의 상추를 공급하고 있다. 재배기간을 2.5배 단축시켰고 기존 농장보다 단위면적당 50~100배 더 생산했다.

한국도 거대 도시에 있는 아파트의 유휴 공간을 활용해 식물공장을 저비용으로 운영할 수 있다. 특히 세계에서 가장 앞선 정보기술(IT)과 이를 활용한 자동화 연계는 비용의 최소화, 효율화를 기대할 수 있다. 일자리 창출이 가능하며 도시 거주자들에게는 양질의 채소류를 신선한 상태로 저비용으로 공급할 수 있다.[124)]

② 환경적인 측면

서울시에서 텃밭으로 이용 가능한 유휴공간 5,100ha가 모두 녹지화 된다면 우리는 큰 환경적 효과를 얻을 수 있다.

먼저, 지방에서부터 도시로 농작물을 운송하는데 나오는 배기가스량을 줄일 수 있다. 서울 텃밭에서 농산물을 생산할 경우 작물의 수송거리를 단축하여CO_2 발생량이 12천톤이나 감소된다.
또, 도시에 녹지가 많아지면 식물이 배출하는 산소와 수분이 도시의 유해가스를 흡착하여 자연적으로 도시정화 기능도 하게 된다. 하지만 도시농업의 가장 큰 효과는 도시가 발전하면서 문제가 되었던 도시의 유기물질과 오수 문제를 감소시킬 수 있다는 점이다.

공한지를 농업화 하면 자투리공간이 쓰레기 투기장화 되는 것을 방지할 수 있다. 빗물과 하수는 재활용하여 농업용수로 사용하고 음식물쓰레기와 사람의 대소변은 거름으로 이용할 수 있기 때문이다. 일례로 도시에서 농사 짓기를 희망하는 도시인들에게 도움을 주고 있는 인천도시농업네트워크는 음식물쓰레기를 지렁이 먹이로 활용한 '지렁이상자'를 보급하고 있다. 이는 쓰레기도 처리하고 거름도 만들 수 있는 1석2조의 방법이다.

그린루프(Green roof), 도심 속 텃밭 등을 통해 녹지화된 도시는 이산화탄소와 유해가스를 감소시켜 지구의 온난화를 막을 뿐만 아니라 꽃, 나비 등 도시의 생태계 복원시키고 환경 친

---

123) 자료: 농림수산식품부
124) 동아일보, 신동화, " 도시농업의 긍정적 효과들", 2018.02.28

화적인 도시의 모습을 가져다 줄 것이라 기대된다.
 또한 이는 미세먼지에도 어느 정도 도움이 될 것으로 예상된다. 김광진 농촌진흥청 도시농업과 박사는 건물의 옥상, 테라스, 아트리움 등에 식물을 식재하고 이를 통해 미세먼지를 제거한다는 개념의 '애그리 텍처(도시농업+건축)'를 제시했다. 건물 내로 진입하는 1차 미세먼지 차단벽과 공기정화 식물을 활용한 2차 시스템으로 구성된 식생시스템과 건물의 공조 시스템을 연결해 건물내 공기정화와 미세먼지 제거, 그리고 에너지 절약의 효과를 볼 수 있다.

 아울러 헬스케어 식물을 활용한 '스마트 그린오피스/스쿨' 구축도 주장했다. 스마트 오피스에 공간 부피대비 2%의 헬스케어식물을 도입한다면 미세먼지 제거는 물론 심신에 안정을 가져다 줄 수 있다.[125]

③ 건강적 측면

 도시 농업은 건강적인 측면에도 영향을 끼치는데. 도시에서 재배하여 판매하는 농식품에 대해서 안전하게 소비할 수 있으며, 유기농업의 확산을 촉진하고 있다. 게다가 도시에서 재배해서 판매되기 때문에 유통과정에서 발생하는 비용을 줄일 수 있어 많은 사람들은 좀 더 싼 가격에 채식을 할 수 있는 기회를 제공받아 건강한 식습관을 갖을 수 있게 할 수 있다.

 또한 도시농업은 식물과 정원활동을 이용, 정신 건강을 회복하기 위한 '원예치료'의 한 형태로도 이용되고 있다. 원예치료란 치료 및 훈련이 필요한 대상자가 치료사에 의해 계획된 식물과 정원활동을 매개체로 한 치료 과정을 의미한다.

이집트 알렉산드리아에는 '페어해븐'이라는 특수학교가 있다. 정신지체 아동들에게 교과과정을 제공하고 있는 이 학교에서는 식물을 만지고 관찰하는 '원예치료 프로젝트'를 실시했었다. 그 결과 학생들 사이에 신뢰감이 생기고, 학습능력도 향상됐다. 이후 이 방법은 다른 학교에도 소개돼 특수교육의 대체 방안으로 각광받기도 했다.

물론 도시농업의 정신적 치료가 정원 가꾸기 등과 같은 '원예치료'적 측면에서만 이루어지는 것은 아니다. 최근 우리나라 안산 '들꽃 피는 요양병원'에서는 장기간 치료가 필요한 중풍, 치매, 노인성 만성질환 환자들의 재활이나 사회복귀를 위해 의료적 치료와 더불어 '생태치유프로그램'을 도입 운영하고 있다. 옥상텃밭을 외부에 개방함으로써 폐쇄된 공간이 아닌 환자와 지역민들의 소통하는 공간으로 전환해 이용하고 있는 것이다. 이 프로그램의 치유효과에 대한 보호자들과의 공감도도 높아 '옥상텃밭' 프로젝트에 관련한 설문조사에 72.6%가 만족한다는 답변이 나왔다.

영국 우스터의 '탑 번 농장'도 정신적인 장애가 있거나 지역사회에 특별한 도움이 필요한 사람들이 찾는 곳으로 전과범, 마약중독자, 말을 못하는 사람 등 대부분 사회에서 환영을 받지 못한 사람들이 모인 곳이다. 여기서 이들은 모두 '농산물 생산자'이다. 자연을 느끼고 채소를 가꾸며 치료를 효과를 얻을 뿐만 아니라 필요한 도구들을 모두 직접 만들어나간다. 그리고 직

---

125) 조경뉴스, 전지은, "도시농업, 노인 및 장애인 건강증진, 일자리창출 등 효과 증대", 2018.09.07

접 재배한 채소들을 내다 팔아 수익을 얻을 수도 있다. 그 결과 그들은 자신감을 얻게 되고 사회 적응력을 기를 수 있게 되는 등 많은 긍정적 효과가 있었다.

네덜란드의 '케어파밍(care farming)'은 도시농업이 제도화된 사례이다. 이곳을 이용하는 대상자들은 알콜 중독자, 노숙자 등 일반적 사회생활과 노동이 어려운 사람들이다. 네덜란드에서는 사회적으로 농업노동을 통해 그들의 증세를 완화시키고 아울러 사회 진출도 돕고 있다. 그들의 노동에 대해서는 경제적 소득이 지원되고 농장주에게도 서비스에 대한 대가를 정부와 보험회사에서 지불해주고 있다.[126)]

은둔형 외톨이를 돕는 방안으로서의 도시농업도 제안됐는데, 서울시의 경우 지난해 은둔형 외톨이 지원방안 마련을 위한 조례 제정을 추진한 바 있다. 심진석 고문은 "서울시는 각 구마다 도시농업단체가 있기에 지역공동체와 연계할 수 있을 것"이라고 말했다.

이를 위해서는 국가전문자격인 도시농업관리사의 역할이 중요함을 강조했다. 사회복지관이나 사회복지시설, 병원, 요양원에 도시농업관리사 1명을 의무 채용과 스쿨팜 강사의 자질향상을 위한 보수교육과 방과 후 교육 원예활동을 지도하기 위한 도시농업관리사 파견 등을 주장했다.

3) 단점

하지만 이러한 도시 농업에도 몇 가지 한계점들이 존재한다. 첫째, 농지공급의 부족이다. 도시 내에는 공간 확보에 대한 어려움, 지가상승 등으로 텃밭 수요를 만족시킬만한 농지 확보가 어렵다. 도시텃밭 농원 대부분이 개인소유로 농지를 넉넉하게 공급할 수 있는 대책마련 없이는 불법경작, 도시농업에 대한 관심 저하로 이어질 수 있다.

둘째, 환경문제이다. 도시농업은 생태적으로 지속가능한 사회 건설을 가능토록 한다는 기대를 가지고 있다. 하지만 농업활동에 사용되는 비료와 자재, 농약 살포는 도시의 또 다른 오염원이 될 수 있다.

셋째, 녹지율을 감소시킨다. 도시의 공원은 자연환경, 경관 등을 유지시켜 주므로 법적 조치가 강화돼 있다. 하지만 각 지자체들이 공원을 경작지로 변화시키기 위한 조례를 만들고 택지개발 시 일정 비율의 텃밭을 조성하려고 한다.

넷째, 경관훼손 문제이다. 도시의 대표적인 경관은 현대화된 시설과 고층빌딩 등으로 볼 수 있는데, 관리 안 된 텃밭은 경관의 부조화로 인해 주변에 해가 될 가능성이 크다. 또한 농업 특성상 겨울철 휴농기의 텃밭에서는 토양침식과 유실이 심화돼 녹지로서의 기능도 상실된다. 다섯째, 도·농간 격차 심화이다. 농촌이 도시와 가장 차별적으로 가지고 있던 농업적 요소가 도시 내에 광범위하게 수용되면서 지금까지와는 또 다른 격차가 우려된다. 일례로 도시민들이 앞으로도 과연 농촌을 방문할 의향이 있을지가 의문이다.[127)]

---

126) the science times, 김연희, "도시농업이 인간에게 주는 효과", 2018.12.08
127) 농촌여성 신문, 김예원, "도시농업의 문제점과 활성화 방안에 대해", 2018.06.19

04. 결론

Ⅳ. 결론

지금 이 순간에도 많은 사람들은 채식주의자로서의 선언을 하고 있다. 채식주의자로서의 생활은 단순히 하나의 식단의 변화가 아닌 산업 시장자체를 바꿀 수 있는 거대한 트렌드가 되어가고 있다. 이러한 채식주의에 관련하여 이번 보고서에서는 정확한 채식주의에 의미부터 그 기원과 종류까지 살펴보았다. 또한 채식주의를 하는데 있어서 다양한 이유들에 대해서도 살펴보았다.

한편 이러한 채식주의자를 선언하는 근거에 대한 반론이 있는 것도 확인할 수 있었으며, 이를 통해 채식주의와 관련된 다양한 논쟁이 있는 것을 알 수 있었다. 또한 이와 관련되어 전 세계 여러 나라의 걸쳐 나타나고 있는 채식주의 관련 산업들에 대해서 살펴봄으로써, 아직 까지 활성화되고 보편화되지 않은 우리나라에 들어오고 있는 채식주의 트렌드에 대해서 대처할 수 있는 정보를 얻을 수 있었다.

채식주의 관련한 산업 중에서 가장 도드라지는 것은 식물성 고기 관련 산업들인데, 식물성 재료들을 바탕으로 고기와 같은 식감을 주는 식물성 고기는 채식주의자에게 필요로하는 고기로부터 얻을 수 있는 영양소를 제공해줄 수 있다는 장점이 있다. 또한 이러한 채식주의자들의 주된 이유인 동물 살생과 관련하여 이들을 공략하는 산업들도 나타나고 있는데, 대표적으로 동물의 살생을 하지 않는 의류 기업이나 화장품 시장이 차세대 시장으로 각광받고 있다.

게다가, 이와 관련해서 채식주의에 기본이 되는 식재료인 채소들을 재배하는 데에 있어서도 과거엔 농촌에서만 재배를 했다면 도시에 작은 공간들을 활용하여 도시에 기술력을 바탕으로 하는 도시 농업관련 산업 또한 전 세계에서 나타나고 있는 추세이다.

이처럼 다양하고 많은 산업들이 채식주의자를 대상으로 생겨나고 있으며 이러한 흐름에 맞추어 우리나라 또한 이들을 배려하는 환경을 갖추어야 할 것이며 발전되고 있는 관련 산업들에 대해 미리 연구하여 민첩한 대응을 하려고 노력해야할 것이다.

05. 참고 문헌

V. 참고문헌

- 한국일보, 최윤필, “채식주의자의 날” 2016.11.01
- 한국채식연합, “채식의 정의/어원/종류/역사”, 2015.07.05, 한채연
- 불교신문, 이성진, “ 이규보부터 정약용까지…역사속 채식주의자” 2017,11,11
- Ann Story, BULL, 채식주의자 종류 7가지와 건강....“, 2017.10.25
- Abow the law, “채식을 해야 하는 이유”, 2016.09.29
- HUFFPOST, 비온뒤, 영향학적으로 짚어보는 채식주의의 허와 실“, 2017,08,18
- healthdayvews, 박미진, “채식의 배신-불편해도 알아야 할 채식주의의 두 얼굴”, 2013.03.07
- 중앙일보, 이민영, 고기 끊고 채식했는데 … 콜레스테롤 왜 높아졌지?, 2015.05.18
- 농민신문, 윤슬기, “채식이 좋아요, 쑥쑥 크는 배지노 믹스”, 2017.06.21
- 서울경제, 박윤선, “한국에 부는 비건 열풍, 산업이 된 비건”, 2018,04,21
- 네이버 포스트, 농민신문, “채식의 매력 속으로 ‘베지노믹스’가 뜬다”, 2017.06.22
- Kotra, 이소정 “쑥쑥 자라는 네덜란드 채식시장”, 2017.11.23
- REALFOODS, 박준규, “채식 번지는 네덜란드...육류 대체식품, 식물성 밀크 뜬다”, 2017.12.14
- LIVEKINDLY, Nadia Murray-Ragg, “ AUSTRALIA IS THE 3RD FASTEST GROWING VEGAN MARKET IN THE WORLD”, 2018.08.23
- KOTRA, 강지선, “축산대국 호주, 채식주의에 빠지다!", 2016.07.05
- 조선일보, 시정민, “독일의 생활방식으로 자리한 ‘채식’, ‘비거니즘(veganism)’”, 2017.04.06
- 글로벌경제신문, 이슬기, “독일 소비자, 건강한 삶 추구…채식시장 주목하라”, 2017.03.15
- 시애틀 코리안 위클리, “ 2018년 미국 식품 트랜드, 채식주의 식품 인기 지속 전망”, 2018.03.12
- 한국 무역신문, “커지는 미국 채식식품 시장을 잡아라”, 2017.10.26.

초판 1쇄 인쇄 2018년 12월 7일
초판 1쇄 발행 2018년 12월 24일
개정판 발행 2022년 2월 07일

편저 ㈜비피기술거래
펴낸곳 비티타임즈
발행자번호 959406
주소 전북 전주시 서신동 780-2 3층
대표전화 063 277 3557
팩스 063 277 3558
이메일 bpj3558@naver.com
ISBN 979-11-6345-339-0(13380)
가격 **66**,000원

이 도서의 국립중앙도서관 출판예정도서목록(CIP)은 서지정보유통지원시스템 홈페이지(http://seoji.nl.go.kr)와국가자료공동목록시스템(http://www.nl.go.kr/kolisnet)에서 이용하실 수 있습니다.